# DEUTSCHE LANDE DEUTSCHE KUNST

Begründet von Burkhard Meier

WERNER MEYER-BARKHAUSEN

# MARBURG

AN DER LAHN

AUFGENOMMEN VOM

ARCHIV FOTO MARBURG

DEUTSCHER KUNSTVERLAG

HERAUSGEGEBEN MIT UNTERSTÜTZUNG DER STADT MARBURG

42689
G

# INHALT

Die Zahlen am Rande der Seiten verweisen auf den Bilderteil

*Älteste Stadtansicht. Sebastian Münster Cosmographia. 1550*

## LANDSCHAFT

Städte am Berghang, zumal in Verbindung mit einer Gipfelburg bieten immer einen stolzen Anblick. Dadurch, daß sie sich dem Berg anschmiegen, sich in seine Vorsprünge und Terrassen einnisten, sich seinen Krümmungen und Unebenheiten anpassen, erscheinen sie ganz anders mit der Landschaft verbunden und verschmolzen als Städte, die sich in der Ebene behaglich breiten und entwickeln können. Sie gehören zum Berg, wachsen aus ihm heraus, haben an seinem Wesen Anteil. Etwas von der Urkraft, die einst die Berge hochpreßte und die wir in dem mächtigen Aufwärts noch zu spüren meinen, ist in sie übergegangen. So haben die Straßen und Gassen in Windung und steilem Anstieg etwas Gespanntes, sie sind von geheimer Dynamik erfüllt. Die sich übereinander staffelnden Häuser und Türme drängen und wetteifern im Aufstreben zur Höhe, auf der die Burg alle Kräfte der Natur und Kultur in sich zu sammeln scheint.

6

In besonderem Maße gilt das von dem Stadtbilde Marburgs. Nur daß hier das Wesen der Stadt sich nicht in e i n e r Ansicht erschöpft, daß Berg und Tal in immer neuer Gruppierung, Verengung oder Weitung den die Stadt Umschreitenden die Verbindung von Stadt und Landschaft in steter Veränderung erleben läßt.

Für den von Süden Kommenden hat die Stadt als Vorfeld das weite Wiesental der Lahn, in dem schon von fernher als Abschluß der Berg mit dem stolzen Schloß sichtbar wird. Bei Gisselberg treten die westlichen Höhen nahe an den Fluß heran, um dann vor Marburg nach Nordwesten zur Ockershäuser Bucht auszubiegen.

Die östlichen Lahnhöhen begleiten in wechselndem Abstand den in Windungen dahinziehenden Fluß. Vorhöhen treten vor Marburg nahe an die Lahn heran, um dann dem weit nach Osten vorstoßenden Weidenhausen Raum zu geben. Ihnen kommt auf der anderen Lahnseite eine vom Marburger Rücken, den Höhen westlich der Stadt, nach Südosten vorstoßende Bergnase — der Schloßberg — entgegen, auf deren sich stufenweise zur Lahn und zur Ockershäuser Bucht abdachendem Südhang die 1 Stadt bekrönt vom Schloß sich in breiter Front aufbaut, das Bild von Süden aus dem Lahntal her abschließend.

Ganz anders die Ansicht von Norden. Das verhältnismäßig enge Tal biegt von Marburg her zwischen Wehrda und Cölbe scharf nach Osten um, so daß dem mit der Bahn oder auf der Straße Ankommenden sich erst hinter dieser Biegung plötzlich der Blick auf die Nordseite der Stadt öffnet. Die alte Stadt zieht sich jetzt in scharfer Profillinie, in der sich die markanten Gebäude abzeichnen, vom Schloß zur Elisabethkirche herunter. Der jähe Aufstieg zur Kirchspitze rechts begleitet diese Linie. Mit den Lahnwiesen im Vordergrund, in die sich das Dorf Wehrda rechts einbettet, mit dem Hintergrund der südlichen Lahnberge, aus denen der Frauenberg hervorragt, ein höchst reizvolles Bild.

Wieder anders das Bild, das sich von der Ostseite, vom Krummbogen oder vom Ortenberg her ergibt. Wir blicken hier auf die Ostseite des Schloßberges, an der sich 2 das Schloß verhältnismäßig schmal und zusammengefaßt mit dem Wilhelmsbau präsentiert. Links am Fuße des Anstiegs die Universität, der Eckpfeiler des alten, hier scharf nach Norden abbiegenden Stadtgrundrisses. Von der alten Stadt wird an dieser Seite vor allem der mitten am Hang laufende Straßenzug Wettergasse—Neustadt—Steinweg sichtbar. Das Bild der sich dicht aneinanderdrängenden, z. T. auf der alten Stadtmauer stehenden Häuser und Häuschen hoch über dem Pilgrimstein, ist für Marburg außerordentlich charakteristisch. Hier spürt man etwas von der dem alten Stadtaufbau innewohnenden, gleichsam stehengebliebenen Kraft, von den Kämpfen der Häuser um den Platz, von der Auseinandersetzung mit dem Berg. Und wie drückt sich in dem Zug der sich drängenden Häuser die Bewegung der am Hang laufenden Straße aus! Ihrer Horizontalbewegung steht in der großartigen Staffelung von Universität—Rathaus—Marienkirche—Schloß, die sich beim Weiterschreiten an der Lahn immer stärker geltend macht, ein mitreißendes Aufwärts gegenüber, in dem sich der steile Aufstieg der Straße vom Lahntor über Hirschberg und Markt spiegelt.

Klimmt man über den Dammelsberg oder die Rotenbergstraße zum Marburger Rücken hinauf, etwa zu der alten Straße vom Sellhof zur Marbach, so schaut man nach

Westen und Norden in eine weite Berglandschaft, die sich über das Hinterland bis zum Sauerland hin erstreckt. Hier erlebt man den Schloßberg im Zusammenhang dieser sich in der Ferne verlierenden Höhenzüge als letzten Ausläufer des südwestfälischen Berglandes. Von der Stadt ist naturgemäß nichts zu sehen, nur das Schloß mit seiner schmalen Westseite steht als Abschluß der Kuppe über den Wäldern. Man versteht, daß sich die mittelalterliche Burg hier besonders schützen mußte. was durch den Halsgraben und flankierende Bollwerke geschehen ist. Erst im Weiterschreiten zur Marbach hin taucht in dem tiefen Taleinschnitt nördlich des Schloßberges das schlanke Turmpaar der Elisabethkirche auf, auf das nun der Weg durch Marbach und Ketzerbach direkt zuführt.

Der Kreis ist vollendet. Wir haben allseitig die Landschaft erlebt, aus der das Stadtbild noch heute seine beste Kraft zieht. Es gilt nun, die geschichtlichen Mächte zu erfassen, die im Laufe der Jahrhunderte für das Stadtbild bestimmend gewesen sind.

## ANFÄNGE VON BURG UND STADT

Die Talenge bei Marburg scheint schon im 11. Jahrhundert durch eine Burg gesichert gewesen zu sein. Zwar war die sumpfige Lahnniederung noch unpassierbar, aber von der alten Straße, die von Norden über den Marburger Rücken auf den westlichen Lahnhöhen nach Süden führte, zweigte eine wichtige Verbindung nach Osten über die Marburger Lahnfurten ab, die von der Burg beherrscht wurden.

Es scheint allerdings, daß eine älteste Turmburg mehr zur Sicherung der Rechtspflege von den Grafen im Oberlahngau, den Gisonen, nicht auf dem Schloßberge, sondern nördlich davon auf der „Minne", heute Augustenruhe, angelegt worden ist, auf der Grenze (marc) zweier durch den marcbach gleich Marbach geschiedener Gerichtsbezirke, wovon Burg und Stadt ihren Namen haben. Dann erst hätten die thüringischen Landgrafen, als Erben der Gisonen, im 12. Jahrhundert eine Burg auf dem Schloßberge angelegt, von der Reste im Südflügel des Schlosses erhalten zu sein scheinen. Vielleicht hat zu dieser thüringischen Burg als Wirtschaftshof der „Fronhof" an der mittleren Lahnfurt gehört.

Daß an der wichtigen Straßenkreuzung im Schutze der Burg eine Marktsiedlung heranwuchs, ist selbstverständlich. Diese scheint schon zu Ende des 12. Jahrhunderts sehr ansehnlich gewesen zu sein, da die 1194 erwähnten „Marburger Pfennige" bereits auf eine Münze schließen lassen. Die älteste Siedlung wird in dem Straßenzuge Hirschberg—Markt—Mainzergasse mit rippenartig abzweigenden Quergassen gesehen. Der Markt war also zunächst kein geschlossener Platz, sondern — wie auch in Grünberg und Friedberg — eine verbreiterte Straße in Verbindung mit der vom Marburger Rücken zur mittleren Furt und weiter nach Osten führenden Fernstraße. Den kirchlichen Bedürfnissen dieser Marktsiedlung diente zunächst die wie üblich abseits vom Markte auf besonderem Platze liegende Kilianskapelle. Für sie mußte bei der steilen Hanglage eine Terrasse ausgeschachtet werden, wodurch — wie beim Schloßbau — wohl auch ein Teil des Baumaterials gewonnen worden ist. Es war ein einschiffiger romanischer Bau mit zwei kreuzgewölbten Jochen und rechteckigem Chor, wie die Reste in dem heute völlig verbauten und anderen Zwecken dienenden

Gebäude zeigen. Von hohem Interesse sind das Säulenportal mit der Inschrift „Godescalcus me fecit" sowie die eigentümlichen Formen der Kapitelle und Basen an den Ecksäulen des Chores. Die Verwandtschaft dieser Zierformen sowohl mit dem Wormser Dom wie mit der Stiftskirche in Fritzlar läßt auf eine Entstehung im ersten Viertel des 13.Jahrhunderts schließen. Natürlich könnte ein schlichterer Bau vorangegangen sein.

Etwa gleichzeitig mit der Kilianskapelle ist in Marburg noch ein anderer romanischer Kirchenbau entstanden, der Vorgänger der gotischen Marienkirche auf der hoch über dem Markt liegenden Terrasse des Marienkirchplatzes. Es ist die „größere" Kirche, in der der Landgraf 1222 eine Gerichtssitzung abhielt. Zwischen Stadt und Burg gelegen, mag sie auch für die Burgbewohner bestimmt gewesen sein, während die Kilianskapelle mehr für die Unterstadt und den Marktverkehr in Betracht kam. Von diesem Bau sind durch Zufall Ornamentreste erhalten, die ebenfalls auf die Wormser Bauschule zu deuten scheinen, die jedenfalls von einem sehr ansehnlichen, reichgeschmückten Bauwerk Kunde geben.

Marburg war also um 1220 bereits ein Ort mit zwei Kirchen, die der für Marburg als Pfarrkirche zuständigen Dorfkirche St. Martin in Oberweimar an Schmuck und Größe vermutlich weit überlegen waren. Erst 1227 wurde Marburg eigener Pfarrbezirk, wurde die „größere" Kirche Pfarrkirche.

Inzwischen war wohl schon eine Erweiterung der ersten Marktsiedlung nach Westen erfolgt, die vielleicht mit einer ersten Ummauerung verbunden war. Das setzt Stadtrechte voraus, auf die bereits das zwischen 1222 und 1227 entstandene früheste Stadtsiegel deutet. Im übrigen ist von den Gebäuden dieser frühen Stadt wenig bekannt, abgesehen vielleicht von dem mächtigen romanischen Keller unter dem Eckhause Markt-Barfüßerstraße mit Kreuzgewölben auf Mittelsäule, der auf ein sehr stattliches Gebäude darüber hinweist.

## DIE HEILIGE ELISABETH

Darf man die Entwicklung der Stadt im 12. und im Anfang des 13. Jahrhunderts als eine normale, der Gunst der Lage und den mächtigen Stadtherren entsprechende ansehen, so beginnt mit dem Erscheinen der Landgräfin Elisabeth von Thüringen in Marburg, mit ihrem Wirken unter den Armen und Kranken, ihrem Tode und ihrer Heiligsprechung ein neuer Abschnitt der Stadtgeschichte. 1229 siedelte die jung verwitwete Landgräfin von der Wartburg in das ihr als Witwensitz überlassene Marburg über. Außerhalb der Stadt, an der nördlichen Lahnfurt, wo vielleicht auch ein alter zur Burg gehöriger Fronhof zu suchen ist (Görich), gründete sie ein Hospital, in dem sie sich ganz der Krankenpflege und der Liebestätigkeit unter der notleidenden Bevölkerung widmete. Mit einer solchen Leidenschaftlichkeit gab sie sich dem Dienste an Armen und Kranken hin, daß sich ihre Kräfte in kürzester Zeit verzehrten und daß sie am 17. November 1231 vierundzwanzigjährig starb. Zu ihrer Unterstützung und zur Versorgung der Hospitalkapelle hatte sie bereits 1228 einen kleinen Franziskanerkonvent nach Marburg gezogen, wie sie ja selbst das Gewand der Tertiarierinnen, des dritten Ordens des hl. Franz, trug und wie auch die Kapelle des Hospitals

dem hl. Franz geweiht war. Das Hinabsteigen der Fürstin zu den Notleidenden, der selbstlose Verzicht auf irdischen Glanz und Wohlleben muß ungeheures Aufsehen gemacht haben. Wundergeschichten als Beweise von Elisabeths Heiligkeit verbreiteten sich schnell. So ist es verständlich, daß nach ihrem Tode und erst recht nach ihrer Heiligsprechung 1235 die Wallfahrt zu ihrem Grabe größte Ausmaße annahm. In der engen Franziskuskapelle drängten sich die Pilger, die oft von fernher kamen, um am Grabe der Heiligen Genesung zu finden. Ein besonderer Pilgerfriedhof müßte angelegt werden, auf dem 1268 die Michaelskapelle errichtet wurde. Welchen Einfluß hat das Wirken Elisabeths, hat die Wallfahrt zu ihrem Grabe auf die Stadtentwicklung gehabt? Zunächst ist es keine Frage, daß hier eine rein geistige Macht in das Leben der Stadt eingetreten ist, die nicht ohne Einfluß auf die kulturelle Entwicklung geblieben sein kann, wenn dieser Einfluß auch wohl kaum meßbar ist. So äußerlich der Wallfahrtsbetrieb auch gewesen sein mag, die rührende Gestalt der jungen, sich für die Notleidenden verzehrenden Landgräfin blieb im Bewußtsein des Volkes erhalten und wurde immer wieder in Bild und Wort vor Augen gestellt. Ihre enge Verbindung mit der Stadt Marburg hat in dem Stadt-
62 wappen über dem Rathausportal von 1524 noch kurz vor Einführung der Reformation eine ergreifende künstlerische Gestaltung erfahren.

Daneben war die Wallfahrt wirtschaftlich gewiß von größter Bedeutung für die Stadt. Sie brachte eine erhebliche Steigerung des Verkehrs, bedeutete für Handel und Gewerbe starken Auftrieb. Im einzelnen läßt sich das nicht mehr nachweisen, aber schon eine abermalige Stadterweiterung nach Westen in den ersten Jahren der Wallfahrt, auf die die Übersiedelung der Franziskaner an die endgültige westliche Stadtgrenze im Jahre 1234 deutet, könnte damit zusammenhängen.

## DEUTSCHHERREN UND ELISABETHKIRCHE

An Stelle der Franziskaner übernahm auf Betreiben der Landgrafen 1234 der Deutsche Ritterorden das Elisabethhospital. Elisabeths Schwager, Landgraf Konrad, wurde selbst Hochmeister des Ordens und setzte sich mit aller Energie einmal für die Heiligsprechung, dann auch für den Bau einer würdigen Kirche über dem Grabe ein. Mit seinen glänzenden Verbindungen und weitreichenden Beziehungen brachte der Deutsche Orden ganz andere Voraussetzungen für den Kirchenbau mit als die Franziskaner. Wären diese Hüter des Grabes geblieben, wäre es gewiß nicht zu einem so stolzen Bau gekommen, der mit franziskanischer Einfachheit, letzten Endes also auch mit den Idealen Elisabeths, nichts zu tun hat. Dem Landgrafen lag daran, der Heiligen seines Geschlechts und ihrer Verehrung einen würdigen Rahmen zu schaffen. Vielleicht dachte er auch schon an die Grablege, die er selbst und weitere Mitglieder der Familie in der Nähe des Heiligengrabes finden könnten.

Jedenfalls ist Landgraf Konrad als der eigentliche Begründer der 1235 begonnenen Elisabethkirche anzusehen. Er wußte dafür einen Architekten zu gewinnen, der als Deutscher an dem großartigsten französischen Bauunternehmen der Zeit, an der Kathedrale von Reims, mitgearbeitet hatte und dem die konstruktiven Errungenschaften der Gotik ebenso wie ihre Einzelformen von Grund aus geläufig waren.

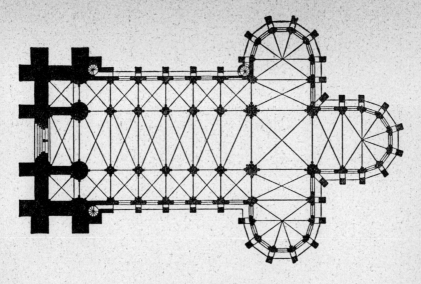

*Grundriß der Elisabethkirche*

Jedoch ist das Bauwerk, das über dem Grabe der hl. Elisabeth in dem halben Jahrhundert bis zur Weihe 1283 und in weiteren langen Jahrzehnten des Turmbaus entstanden ist, keineswegs eine Wiederholung des französisch-gotischen Kathedralschemas. Es muß vielmehr in erster Linie aus der deutsch-romanischen Tradition heraus verstanden werden. Der Meister, der den Bau geplant und begonnen hat, wurzelt in der rheinischen Kunst, er muß seine grundlegenden künstlerischen Vorstellungen an den spätromanischen Kirchen Kölns gewonnen haben. So stellt er in Marburg einen im Grunde kölnischen Kleeblattchor hin, edel, geschlossen und abgewogen in den $^{20}$ Verhältnissen wie St. Aposteln, mit zweigeschossiger Wandgliederung, nur übersetzt in das gotische Konstruktionssystem mit seinen Strebepfeilerreihen, die hier jedoch durch vielfache Horizontalen in die Wand eingebunden sind. Aber in Marburg schließt sich an den dreifachen Chor nicht wie in Köln ein basilikales Langhaus, sondern eine Halle mit drei gleichhohen Schiffen und einheitlicher, nicht gestufter Außenwand. $^{21}$ Dadurch ist es in Fortführung der Kölner Entwicklung gelungen, den Kleeblattchor mit dem Langhaus und dem zweitürmigen Westbau zu einer Einheit zu verschmelzen, $^{19}$ die dem System der gotischen Kathedrale, wie es der Reimser Bau zeigt, im Grunde antipodisch gegenübersteht.

Schließt sich in Marburg die Halle an das Wandsystem des einschiffigen Kleeblattchores an, so setzt sich in Reims umgekehrt das basilikale Langhaussystem und damit jener Wald von Pfeilern, Türmchen und Bogenschwüngen am Chor fort, verdoppelt noch durch den Kapellenkranz. In Marburg ein geschlossener klar umgrenzter Baukörper mit kontinuierlich fortlaufender, durch Pfeiler und die doppelte Fensterreihe rhythmisierter Wand, die in den Türmen grandiose Steigerung erfährt und die in den geschlossenen Flächen der steinernen Turmhelme den einzig gemäßen Ausklang hat.

Der Reimser Bau dagegen in seinen gewaltigen Dimensionen, in seiner unübersehbaren Zergliederung der Wände, in seinem gigantischen Reichtum an Zier- und Bildwerk ist weniger auf plastische Gesamtwirkung als auf das ungeheure Orchester der Vertikalen, der Pfeiler und Strebebögen, der Baldachine, Wimperge und Fialen, der Portale und Galerien abgestellt.

23,26,39 Den gleichen Wesensunterschied offenbaren die Räume. In Marburg der geschlossene Raumblock der einschiffigen Chöre, der einheitlich in die Halle übergeht als die in ihrer Breitenentwicklung dem zentralen Charakter des Kleeblattchores gemäßeste Raumform. In Reims wird der namentlich im Chor so vielfältig gegliederte und gestufte Raum beherrscht und zusammengefaßt von dem gewaltigen Zuge des Mittelschiffs, der unbeirrbar und unentrinnbar vom Eingang zum Hochaltar führt.

In Reims also der gerichtete, gestufte und vom Langhaus bestimmte Raum, in Marburg der sich breitende, der vom Kleeblattchor zur Halle blickt, diese unter einheitlichem Gewölbe in die zentralisierende Umfassung durch die fortlaufende zweigeschossige Wandgliederung einbeziehend. In Reims scheint der Wille dominierend, die straffe und rationelle Organisation, in Marburg das sich in individueller religiöser Versunkenheit allseitig verströmende Gemüt.

Mit der Elisabethkirche war in Marburg ein überragendes Bauwerk entstanden, überragend nicht nur in der Architektur, sondern auch in der künstlerischen Ausstattung. Wenn der Bau als Ganzes auch eine geniale Einzelleistung blieb, so ist sein Einfluß doch weithin zu spüren. Nach dem Marburger Vorbild hat sich die gotische Hallenkirche in weitem Umkreise durchgesetzt. Für Marburg selbst war in der Kirche ein Vorbild und ein verpflichtender Maßstab gegeben, die sich in der weiteren Bauentwicklung immer wieder geltend gemacht haben. Wenn sie auch abseits von der alten Stadt liegt, so ist als Antwort auf das Fürstenschloß auf dem Berge die Kirche der heiligen Elisabeth im Tale aus dem Marburger Stadtbild nicht fortzudenken.

Natürlich hat sich die Bautätigkeit des Deutschen Ordens nicht auf die Kirche beschränkt. Ein neuer Hospitalbau entstand 1254 mit einer Kapelle, deren Reste noch heute am Pilgrimstein aufrecht stehen. Als Krankenhaus für die Brüder wurde die Firmanei an der Nordseite der Kirche gebaut. Von der Firmaneikapelle (1294) sind noch die reich ornamentierten Schlußsteine des Gewölbes erhalten (Universitätsmuseum). Der Michaelskapelle von 1268 auf dem Pilgerfriedhof an der Augustenruhe 17 wurde schon gedacht. Dazu kamen die eigentlichen Wohngebäude der Deutschherren und des Komturs, die in starker nachmittelalterlicher und moderner Verbauung an der Nordseite der Kirche erhalten sind. Zahlreiche Wirtschaftsgebäude, Fruchtspeicher, Zehntscheuer, Ställe aller Art, Handwerksbetriebe, die, wie das Elisabethhospital, noch bis zum Ende des 19. Jahrhunderts erhalten waren, bildeten um die Kirche einen geschlossenen Ring mit besonderen Toren.

Seit 1234 bauten die Franziskaner an der Südwestecke der Stadtummauerung, seit 1291 die Dominikaner an der Südostecke Kirche und Kloster. Die Franziskaner-(Minoriten)kirche mag um die Mitte des 13. Jahrhunderts vollendet gewesen sein. An ihrer Stelle wurde 1731 eine Universitätsreithalle gebaut. Eine alte Abbildung zeigt sie neben dem Barfüßertor als schlichten gotischen Bau mit hohem Dachreiter. Dem langgestreckten Chor mit 5/8 Schluß war eine Achskapelle vorgesetzt. Aus dem Fehlen der Strebepfeiler darf man vielleicht auf flache Decke schließen.

Stattlicher erscheint die um 1320 vollendete Kirche der Dominikaner. Namentlich der 46,54 auf hohem Felsen aufragende Chor ist ein wesentlicher Bestandteil des Stadtbildes. Das Langhaus ist bescheidener. Heute eine zweischiffige unsymmetrische Halle, sollte ursprünglich wohl das Hauptschiff auf die Höhe des Chores gebracht werden. Der Bau ist jedoch in Höhe des Seitenschiffes steckengeblieben. Von den Klostergebäuden ist weder hier noch bei den Franziskanern etwas erhalten. Wichtig ist jedoch die Beobachtung Karl Schäfers, des Erbauers der Universität, daß der Kreuzgang der Dominikaner in seinen Architekturformen „peinlich genau" mit damals noch vorhandenen Resten des Minoritenkreuzgangs am Barfüßertor übereingestimmt habe und daß beide Kreuzgänge größte Ähnlichkeit mit dem Kreuzgang des Kölner Minoritenklosters aufgewiesen hätten. Danach wird sich auch der Bau des Franziskanerklosters zum mindesten bis ins 14. Jahrhundert hingezogen haben.

Im alten Stadtbild stellten sich die beiden Klöster als mächtige Eckbastionen des Textbild Stadtaufbaus über der Südmauer dar. Davon gibt die Stadtansicht Merians einen S. 27 guten Begriff. Man kann sich aber noch heute ein Bild davon machen vor der so steil aufragenden Universität als Nachfolgerin des Dominikanerklosters und vor der 54 im Hof der Bibliothek sichtbaren hohen Stadtmauer, die hier den Unterbau des Seminargebäudes an Stelle des Franziskanerklosters bildet.

Um 1300 scheint mit der Angliederung der Neustadt die Stadtummauerung auch im Nordosten ihre endgültige Linie erreicht zu haben. Auch das Straßennetz wird bereits seine wesentliche Ausgestaltung erfahren haben. Die am Hang horizontal verlaufenden Ost-Weststraßen: Rittergasse, Barfüßergasse, Untergasse, haben offenbar stark an Bedeutung gewonnen gegenüber der ursprünglichen über den Markt führenden steilen Hauptstraße. Mehr und mehr scheint der den Markt überquerende Straßenzug Barfüßergasse—Wettergasse (gleich Wehrdaer Gasse) zur Hauptstraße geworden zu sein. Hat sich doch vor dem die Wettergasse abschließenden Wehrdaer Tore (Hiltvinspforte) die Neustadt entwickelt. Wenn diese mit dem Kesseltor (Kesseler gleich Kasseler Tor) abschließt, so deutet das daraufhin, daß auch der Fernverkehr nach Osten und Nordosten jedenfalls z. T. über diesen Straßenzug und die nördliche Furt gegangen ist.

Jedoch behielt der Flußübergang vor dem Lahntor seine Bedeutung. 1250 besteht hier bereits eine Brücke (Lange Brücke) und von dem Vorort Weidenhausen ist schon 1234 die Rede. Nach wie vor ist hier der Hauptübergang für die große West-Ost-Verbindung, die aus dem späteren Mittelalter als Köln-Leipziger Messestraße bekannt ist.

Starke Mauern mit Türmen und befestigten Toren umgaben das Stadtviereck. Im Westen und Norden schloß die Stadtbefestigung an die des Schlosses an, so daß „sich Burg und Stadt mit ihrem Bering zu einer gefesteten Einheit, zu einem mittelalterlichen Schloß zusammenfügten" (Justi). Auch die Vororte Weidenhausen, Am Grün, Rotergraben, Steinweg, Ketzerbach waren durch feste Tore gesichert. Reste der Stadtbefestigung sind noch zahlreich erhalten, am besten an der Westmauer 16,61 (Kalbstor, Bettinaturm), aber auch an der Südmauer (Hundsturm), während an der Ostseite die Häuser der Wettergasse und Neustadt so mit der Stadtmauer verbaut sind, daß nur noch wenig von ihr sichtbar ist. Immerhin genügen diese Reste, um sich ein Bild davon zu machen, welche gewaltigen Mittel Landgraf und Bürger an die Verteidigung ihrer Stadt gewandt haben.

Marburg war eine landgräfliche Stadt. Die Landgrafen hatten an der Stadt militärisch und wirtschaftlich hohes Interesse. So haben sie ohne Zweifel zu ihrem Ausbau und Aufschwung im 13. Jahrhundert wesentlich beigetragen. Das gilt insbesondere von der eigentlich hessischen Linie, die mit Sophie, der Tochter der hl. Elisabeth, und ihrem Sohne Heinrich, dem „Kinde von Brabant", seit der Mitte des 13. Jahrhunderts die Regierung übernahm. Als die anfänglichen Versuche Sophies, das thüringisch-hessische Gesamtgebiet mit der Residenz auf der Wartburg für ihren Sohn zurückzugewinnen, fehlgeschlagen waren und damit die Beschränkung auf die hessischen Erblande feststand (seit 1263), ergab sich die Notwendigkeit, in der künftigen Residenz Marburg (neben Kassel) die bescheidene thüringische Burg einerseits zu einem fürstlichen Wohnsitz, andererseits — in Verbindung mit der Stadtbefestigung — zu einem beherrschenden militärischen Bollwerk in Oberhessen auszubauen. Sophie, die von 1264 bis zu ihrem Tode 1275 als domina de Marburg auf dem Schlosse residierte, mag sogleich mit dem Bau begonnen haben, den Heinrich (1264—1308) dann, wohl mit Unterbrechungen, bis zu seinem Tode fortsetzte. Es handelte sich zunächst um den heutigen 6 Südflügel, der zu einem geräumigen Palas umgebaut wurde, an den sich westlich vermutlich ein Wohnturm (heutige Südwestecke) und östlich, wohl an Stelle eines thü- 12,13 ringischen Bergfrieds, der Kapellenbau anschloß. In der Schloßkapelle (geweiht 1288) gipfelt der Schloßbau des 13. Jahrhunderts. Sowohl in ihrer zentralisierenden Gesamtanlage wie in der Feinheit der Gliederungen und der Erlesenheit des Schmucks spürt man engste Verwandtschaft mit der Elisabethkirche, wenn auch die Formen mehr ins Zierliche und Intime abgewandelt sind, dem besonderen Zwecke des Raumes entsprechend. Daß bei den beiden parallel laufenden Bauunternehmungen (Elisabethkirche 1283 geweiht) mit gegenseitiger Beeinflussung, mit Austausch von Werkleuten und Künstlern gerechnet werden muß, ist selbstverständlich. Es liegt sogar nahe, an Übernahme der 1283 an der Elisabethkirche freiwerdenden Bauleute zum Schloßbau zu denken. So ist es nicht verwunderlich, daß das Christophorusbild in der West- 12 apsis der Schloßkapelle von dem gleichen Künstler gemalt ist, der in der Elisabethkirche die leider nur in Resten erhaltenen Malereien an der Rückseite des Hochaltares von 1290 ausgeführt hat.

Von dem künstlerischen Adel der Schloßkapelle fällt auch ein Abglanz auf den Bauherrn Heinrich I., den man sich nach seinem durchgeistigten Antlitz auf dem Grab- 38 mal in der Elisabethkirche als kunstsinnigen und hochgebildeten Fürsten vorstellen darf. So möchte man auch noch den Saalbau — jedenfalls in Planung und An-fängen — mit Heinrich I. in Verbindung bringen, dieses so wuchtig gegliederte Bauwerk fürstlicher Repräsentation, dessen Rittersaal das weltliche Gegenstück zur Halle der Elisabethkirche darstellt.

## MARIENPFARRKIRCHE UND KERNER

Die monumentale Bautätigkeit in der Stadt scheint sich im 14. Jahrhundert — von den schon behandelten Ordenskirchen abgesehen — auf den Marienkirchplatz konzen-triert zu haben. Hier stand die spätromanische Pfarrkirche, deren Patronat von den Landgrafen dem Deutschen Orden übertragen worden war. Dieser errichtete in den letzten Jahrzehnten des 13. Jahrhunderts vermutlich an Stelle des Chores der alten Kirche ein hohes chorartiges einschiffiges Bauwerk mit 5/8 Schluß nicht nur im Osten, 41 sondern nach erhaltenen Resten auch im Westen, also ein ursprünglich selbständiges zentralisierendes Gebäude nach Art der Schloßkapelle. Die Weihe dieser neuen Pfarr-kirche erfolgte 1297. Eigentümlich sind die nach innen gezogenen, tiefe Nischen bildenden Strebepfeiler, während die Formen im Einzelnen auf die Elisabethkirche weisen. Wie das Verhältnis zu der im Wesentlichen zunächst wohl bestehenbleibenden romanischen Kirche, gegen die der neue Bau ja abgeschlossen war, zu denken ist, bleibt unklar. Vermutlich haben Unstimmigkeiten zwischen Patron und Kirchen-gemeinde wegen des Neubaus mitgespielt, wie sie hundert Jahre später ja urkundlich bezeugt sind.

Erst zwanzig Jahre nach der Weihe der einschiffigen Pfarrkirche des Deutschen Ordens begannen Stadt und Pfarrgemeinde mit dem Bau einer dreischiffigen Halle, die jene 43 als Chor voraussetzte. Das Bauunternehmen zog sich jedoch fast durch das ganze Jahrhundert hin. Erst 1370—75 erfolgte unter Protest des Deutschen Ordens die Vereinigung mit dem Chor. Zu Ende geführt wurde das Werk durch den Meister Tyle von Frankenberg, der 1375 vom Rat der Stadt berufen wurde. Marburg war damit um einen bedeutenden, durch seine Lage auf hoher Terrasse im Stadtbild be-sonders mitsprechenden Bau bereichert worden. Schwungvoll und groß ist namentlich die Gestaltung der Südfront mit dem hohen Portal über einer Freitreppe. Die Ein-zelformen wirken allerdings schon recht schematisch, verglichen mit der saftvollen Lebendigkeit und dem unerschöpflichen Reichtum des Ornaments an der Elisabeth-kirche. Noch scheint jedoch im Westen ein Rest der ersten romanischen Pfarrkirche stehen geblieben zu sein (wie noch heute im Wetzlarer Dom), der erst 1447, als man an den Bau des Westturmes ging, abgebrochen wurde. Noch dieser mächtige West- 42 turm läßt in seiner Strebepfeileranordnung, in der Turmgalerie mit den Ecktürmchen das Vorbild der Elisabethkirche ohne weiteres erkennen. Der schief gezogene Dach-helm paßt gut zu dem malerisch-irrationalen Bild des Schlosses darüber, wie zu dem 6,40 Dachgewirr unterhalb des Marienkirchplatzes, zu dem man von der Unterstadt wie aus einem Brunnen heraufsteigt. 45

Noch ein anderes Bauwerk am Marienkirchplatz ist von erheblichem historischen Interesse: der Kerner. Er stellt sich heute als ein hoher, schmuckloser zweigeschossiger 44 Steinbau dar, dessen Obergeschoß mit Eingang von der Ritterstraße zu Wohnungen

verbaut ist. Das Untergeschoß enthält zwei kreuzgewölbte Räume, deren ursprüngliche Benutzung als Beinhaus (carnarium) für den Marienkirchhof feststeht. Das Obergeschoß war nach den Fenster- und Gewölberesten eine Kapelle, die vielleicht mit der
urkundlich genannten Kapelle des hl. Kreuzes identisch ist. Gleichzeitig scheint das
Obergeschoß des Kerners im 14. Jahrhundert als Rathaus gedient zu haben (erste
Erwähnung 1334). Nach den Maßwerkresten und dem mit den unteren Saalbau-
fenstern übereinstimmenden westlichen Fenster des Untergeschosses ist der Kerner
im ersten Viertel des 14. Jahrhunderts entstanden. Zeitweise soll auch das dem
Kerner gegenüberliegende Gebäude der alten Schule — ein magister scholarum Conradus ist schon 1284 bezeugt — als Rathaus benutzt worden sein. Auf der Westseite
45 des Kirchplatzes bauten Ende der 60er und Anfang der 70er Jahre des 14. Jahrhunderts die Pfarrer einen neuen Pfarrhof, das heute noch als Superintendentur
dienende Gebäude mit spitzbogigem Hoftor und rundem Eckturm. Interessant, daß
in dem Eckturm romanische Zierkonsolen offenbar von einem Zierfries der ältesten
Pfarrkirche vermauert sind.

## SCHLOSS UND STADT ZU AUSGANG DES MITTELALTERS

Das Schloß zu Marburg ist keineswegs ständige landgräfliche Residenz gewesen. Nach
dem Tode Heinrichs I. fiel Marburg als Leibgedinge an seinen Sohn Ludwig, der
Bischof zu Münster war und wohl kaum in Marburg gewohnt hat. Jedoch hat er die
8,9,10 von seinem Vater begonnenen Arbeiten, insbesondere den Saalbau, zu Ende geführt.
Nach seinem Tode kam Marburg an die in Kassel residierende Hauptlinie, und das
Schloß war über hundert Jahre nur Sitz des Landvogts. Erst mit der Teilung der
Hauptlinie nach dem Tode Ludwigs I. wurde Marburg seit 1472 Residenz Hein-
richs III., dem durch reiche Heirat die Mittel zu einem großzügigen Um- und Ausbau
des Schlosses zur Verfügung standen. Dieser scheint insbesondere von seinem energi-
schen und weitblickenden Hofmeister Hans von Dörnberg, einer der bedeutendsten
Persönlichkeiten der hessischen Geschichte zu Ende des Mittelalters, betrieben worden
zu sein. Zur Ausführung seiner Pläne — nicht nur in Marburg, sondern in vielen
Städten und Schlössern Oberhessens — stand ihm der im Festungsbauwesen erfahrene
Meister Hans Jakob von Ettlingen zur Verfügung. In Marburg gipfelte dessen Bau-
6,8,11 tätigkeit in dem Wilhelmsbau, einem neuen Wohnschlosse für den Landgrafen Wil-
helm III., von dem Justi sagt: „Dies Denkmal spätgotischer Architektur hat Hans
Jakob von Ettlingen, der 1492 in Marburg weilte, um die Arbeiten vorzubereiten,
mit bewundernswertem Raumgefühl der dem Angriffsgelände entferntesten Stelle der
Ostseite der Burg angefügt, das bisher gewesene und das neue zu einer geschlossenen
Einheit verschmelzend. Im Süden folgt das Auge mit Behagen dem vom Burgkern
absteigenden reizvollen Profil; im Norden reckt sich das Gebäude als steilgiebelige
Seitenkulisse am Rande des jähen Absturzes empor, und im Osten schließt die breite
hohe schlichte Wand, überragt von Dachfirsten und Turmspitzen, die wundersame
Bekrönung des Marburger Gipfels machtvoll ab."
Auch in der Stadt setzte mit dem ausgehenden 15. Jahrhundert eine neue Blüte
ein, die in stattlichen Bürgerhäusern und vor allem in dem neuen Rathause Ausdruck

gefunden hat. War im 14. Jahrhundert der Marienkirchplatz mit Pfarrkirche und
Rathaus, mit den darüber in der Rittergasse liegenden Sitzen der Burgmannen der 55
Mittelpunkt der Stadt, so scheint im 15. Jahrhundert — wie ja überall in den mittelalterlichen Städten — das bürgerliche Element und damit der eigentliche Marktplatz
die Oberhand gewonnen zu haben. Endpunkt dieser Entwicklung ist das neue Rat- 48,49,50
haus, das sich wie ein Riegel in den Straßenzug Hirschberg-Markt vorschiebt und den
Markt erst zu dem geschlossenen Platz macht, wie wir ihn heute kennen. Das Rathaus
wurde 1512 von dem Meister Klaus von Lich begonnen und war 1516 im Rohbau
fertiggestellt, blieb dann aus unbekannten Ursachen liegen und wurde erst 1524 vollendet. Als letztes wurde das schöne Stadtwappen von Ludwig Juppe über dem Portal 62
eingefügt. Aber erst 1581—82 erhielt der Mittelvorbau den reichen Abschluß mit Uhr 50
und Figuren durch Ebert Baldewein. Der stattliche hohe Bau mit seinen Staffelgiebeln
und Ecktürmchen, mit seinem Treppenturm und dem malerischen Quergiebel ist das
Kernstück gotischer Profanarchitektur in der Stadt, das dem Marktplatz erst seinen
Charakter gibt. Man muß sich dazu vorstellen, daß es urspünglich an der Vorderseite
weiß getüncht war bei schwarzer Bemalung der Eckquadern. Überhaupt waren ja
die Architekturen — auch die Kirchen — in den mittelalterlichen und nachmittelalterlichen Jahrhunderten ganz anders auf Farbe abgestellt als heute, im Äußeren wie
im Inneren. Das Juppewappen war reich polychromiert durch den Maler Johann
von der Leyten, der auch den Rathaussaal ausgemalt hat.
Zu Ende des 15. Jahrhunderts ist in Marburg noch einmal ein Klosterbau entstanden:
Das Kloster der Brüder vom gemeinsamen Leben (Kugelherren) über den Franziskanern an der Westmauer. „Diss heisset das fraterhuss zum Lewenbach 1491" steht
an dem erhaltenen schlichten, aber weitläufigen Gebäude in der Kugelgasse, das mit
Einführung der Reformation den Zwecken der Universität dienstbar gemacht wurde.
Die Kirche mit dem schönen spätgotischen Netzgewölbe im Chor gibt dem Aufstieg 47
durch die Kugelgasse oder über die Treppe vor dem Kugelhause einen reizvollen
Abschluß.

## LANDGRÄFLICHE RESIDENZ IM 16. JAHRHUNDERT

Die politisch so glanzvolle Regierung Philipps des Großmütigen hat im Bilde von
Schloß und Stadt wenig Spuren hinterlassen. Dennoch haben zwei Ereignisse der Entwicklung der Stadt eine ganz neue Richtung gegeben: die Einführung der Reformation
und die Gründung der Universität, beides in dem gleichen Jahre 1527. Aus der Stadt
der Wallfahrt wurde die Stadt der Wissenschaft. Die Klöster, die Ecksteine des Stadtaufbaus, wurden aufgehoben und zu Stätten der Lehre und Forschung umgestaltet.
Nur die Marburger Niederlassung des Deutschen Ritterordens blieb, wenn schließlich auch evangelisch geworden, bis 1809 bestehen.
Wenn Philipp der Großmütige auch oft und gern in Marburg weilte, so war seine
eigentliche Residenz doch Kassel. Erst sein Sohn Ludwig IV., der bei der Teilung nach
Philipps Tode Oberhessen erhielt, wohnte wieder ständig auf dem Schlosse (1567 bis
1604) und war um dessen weiteren Ausbau besorgt. Auch er hatte, wie einst Heinrich III. den Hans Jakob von Ettlingen, einen besonders tüchtigen und erfahrenen

Architekten zur Verfügung, den landgräflichen Baumeister, Uhrmacher und Techniker Ebert Baldewein. Dieser hat in den letzten Jahrzehnten des 16. Jahrhunderts in Marburg und auch in vielen anderen oberhessischen Städten eine reiche Tätigkeit entwickelt. Im Marburger Schloß hat er an Wirtschaftsgebäuden und Befestigungsanlagen viel gebaut. Vor allem ist hier der fein abgewogene Renaissancevorbau von 6 1572, die Rentkammer, auf dem der malerische Reiz der Südansicht des Schlosses nicht zum wenigsten beruht, sein Werk. Der kleine, feine Bau hatte ursprünglich einen Steingiebel, der aber später durch verschiefertes Fachwerk ersetzt wurde.

Zwischen Stadt und Schloß, auf einer Terrasse über der Ritterstraße, wuchs als sinn-52 fälliger Ausdruck der neu zusammengefaßten landesherrlichen Zentralverwaltung 1573 bis 1576 Baldeweins landgräfliche Kanzlei empor, ein stolzer Bau, der sich mit hoher Schmalseite, noch durchaus gotisch empfunden, der Windung der Straße entgegenstellt, ein Bau, der als höchste markante Staffel des Stadtaufbaus zum Schloß überleitet.
Textbild In der Stadt fügte Baldewein dem Rathaus westlich den zierlichen Küchenbau mit
S. 20 seinen Renaissancegiebeln an (1574—75), und 1581—82 gab er dem Treppenturm 50 den charakteristischen Giebelaufsatz mit der Uhr, die wie die mannigfachen mit ihr in Zusammenhang stehenden Figuren von ihm ersonnen und von dem Uhrmacher Christoff Dohrn angefertigt wurde. Wie oft die großen Meister der italienischen Renaissance und in etwa auch Dürer und Grünewald war Baldewein zugleich Techniker und Mechaniker. Als solcher hat er die Herrenmühle an der Weidenhäuser Brücke, von der ja noch Reste vorhanden sind, „mit zwei Gerinnen und neun Schaufelrädern" angelegt zum Antrieb der Werke für Roggen und Weizen, für eine Walkmühle und eine Holzsägemaschine. Sein bedeutendstes technisches Werk war nach Justi die „Wasserkunst" am Grün (1583).

## DIE KÜNSTLER

Wir sind über Baldeweins Schaffen aus seiner peinlich genauen Rechnungsführung gut unterrichtet. Überhaupt treten seit dem Ende des Mittelalters die Künstler, die an Aufbau und Verschönerung der Stadt mitgewirkt haben, für uns mehr und mehr aus dem Dunkel. Im 13. Jahrhundert kennen wir keinen der Meister, die am Bau und Schmuck der Elisabethkirche beteiligt waren. Vereinzelt tritt einmal ein Name auf: „Godescalcus me fecit" am Kilian. Aber was sagt das schon! Vielleicht war es der Stifter. Die erste greifbare Baumeisterpersönlichkeit in der Baugeschichte Marburgs ist Tyle von Frankenberg, dessen Vertrag mit der Stadt von 1375 über den Bau der Pfarrkirche erhalten ist. Dann kommt nach einem Jahrhundert der Schöpfer des Wilhelmsbaus, Hans Jakob von Ettlingen, im 16. Jahrhundert Kuno von Lich, der auch als Festungsbaumeister genannt wird, als Meister des Rathauses, schließlich Meister Baldewein.

Ist das die Liste der uns bekannten Architekten — neben denen im 16. Jahrhundert zahlreiche Namen mehr untergeordneter Meister genannt werden —, so werden nun auch die Bildhauer und Maler für uns greifbarer. Zwar kennen wir von den Meistern 37 Hermann und Heinrich, die 1471 das Grabdenkmal für Ludwig I. in der Elisabethkirche schufen, und ebenso von dem Meister eines anderen Hochgrabes Heinrich Kahl kaum mehr als die Namen. Aber von Ludwig Juppe, dem bedeutendsten der Marburger Bildhauer (ca. 1460—1537), wissen wir so viel, daß seine Entwicklung und sein Werk in einer Monographie gewürdigt werden konnten (Neuber). In der zweiten Hälfte des Jahrhunderts ist neben Baldewein der Bildhauer Melchior Atzel tätig, der Meister der Figuren auf Baldeweins Kanzlei und zahlreicher Grabsteine in den Dorfkirchen der näheren und weiteren Umgegend. Das Wandgrab für Ludwig IV. († 1605) und seine Gemahlin († 1590) in der Marienkirche ist allerdings von keinem Marburger Künstler, sondern von Gerhard Wolff aus Mainz 1590—93 geschaffen. Im 17. und 18. Jahrhundert spielen die Bildhauerfamilien Franck und Sommer eine Rolle, hauptsächlich als Meister von Grabdenkmälern.

11,33,35, 62

Auch für Maler bot sich in Marburg von Anfang an ein reiches Betätigungsfeld. Allein die Ausmalung der Elisabethkirche, die Gestaltung ihrer Altäre etc. muß viele künstlerische Kräfte lange beschäftigt haben, zumal der malerische Schmuck doch von Zeit zu Zeit erneuert worden ist. Dazu kamen die anderen kirchlichen Gebäude der Stadt. Den Malern fiel auch die farbige Fassung der Bildhauerarbeiten, sowie die farbige Gestaltung der Gebäude im Äußeren zu. So muß es in Marburg wohl früh schon eine Malerzunft gegeben haben, ohne daß wir davon etwas wissen. Einmal ist 1327 von einem domus pictoris in der Neustadt die Rede. Seit dem 15. Jahrhundert wird das anders. Es finden sich häufiger Malernamen in den Urkunden und Rechnungen, ohne daß wir jedoch die Namen mit bestimmten Arbeiten, von denen ja überhaupt wenig genug erhalten ist, in Verbindung bringen können. So sagen uns die Namen Mockes und Dietz, Familien in denen mehrere Generationen das Malerhandwerk ausübten, nicht viel. Deutlicher wird die Malerfamilie von der Leyten, Vater und zwei Söhne. Der Sohn Johann war der bedeutendste. Er war Mitarbeiter Ludwig Juppes, hat dessen Bildwerke polychromiert und die Bildtafeln zu Juppes Schnitzaltären gemalt. Ihm wurde auch 1524 die Ausmalung des neuerbauten Rathauses übertragen, von der im Sitzungssaal noch Reste vorhanden sind. So können wir uns von diesem Maler auch künstlerisch ein Bild machen. Sein Nachfolger in der Ausmalung des Rathaussaales war Georg Thomas aus Basel, der von etwa 1534—1578 in Marburg tätig war. Von ihm stammt namentlich die 1551 datierte Gerichtsdarstellung an der Ostwand des Sitzungssaales. Er war auch Bildhauer und vermutlich war Melchior Atzel sein Schüler. Jedenfalls gewinnt man im 16. Jahrhundert den Eindruck eines lebhaften Kunstbetriebs in Schloß und Stadt, zu dem auch die Kunsthandwerker — die Schreiner (Nikolaus Hagenmüller), die Goldschmiede, die Eisenschmiede (Gitter in der Marienkirche), die Meister der Model für den Eisenguß, die Gläsner und andere mehr — ihr Teil beigetragen haben. Allerdings traten die kirchlichen Aufträge mit Einführung der Reformation 1527 sehr zurück.

*Marktplatz. Westliche Häuserreihe um 1850*

Von links nach rechts: Rathaus mit Küchenbau — „Helm“, Fachwerk verputzt, 17. Jahrhundert — „Ortenberg“ (Alter Ritter), ehem. städtisches Weinhaus. Fachwerk verputzt. Romanischer Keller — „Zur Krone“, Fachwerkbau 16.—18. Jahrhundert, 1884 durch Neubau ersetzt — Davor Marktbrunnen. An Stelle des ältesten Brunnens: 1530 Wappenbrunnen von Ludwig Juppe, 1724 Seenymphenbrunnen von F. Sommer, 1861 St. Georgsbrunnen von F. Lange, 1951 neuer St. Georgsbrunnen von R. Breidenbach — Bis 1760 Einhornapotheke. Fachwerk 18. Jahrhundert, heute verputzt — Gotisches Haus, im 18. Jahrhundert durch Neubau ersetzt. Hier erfand Papin die Dampfmaschine — „Zum Stern“, Neubau 1675. Barockportal. Eckerker — „Steinernes Haus“, Haus Zeisse — Zwei Häuser des 18. Jahrhunderts (?) Ecke Ritterstraße, ursprünglich ein Anwesen

## BÜRGERHÄUSER

Dafür erwuchs den Künstlern ein anderer Auftraggeber in dem emporstrebenden, reich gewordenen Bürgertum. Wenn auch Marburg nicht so stolze Patrizierhäuser aufzuweisen hat, wie die ausgesprochenen Handelsstädte der Zeit, etwa Frankfurt, so macht sich doch auch hier, namentlich in der Zeit des in Marburg residierenden Landgrafen Ludwig IV., ein bürgerlicher Wohlstand geltend, der Ausdruck in dem Bau ansehnlicher Bürgerhäuser gefunden hat.

Von älteren, über das Jahr 1500 hinausgehenden Bürgerhäusern ist in Marburg nicht viel erhalten. Das „Steinerne Haus“ am Markt allerdings geht wohl, wenn auch im 16. Jahrhundert verändert, noch ins 13. Jahrhundert zurück. „Conradus de domo lapidea ....“ steht auf dem Bruchstück eines Grabsteins aus der Zeit um 1300 im Museum. Die Bezeichnung läßt auf die Seltenheit von steinernen Wohnhäusern schließen. Im allgemeinen kamen sie nur für Burgsitze, Adels- und Klosterhöfe in Betracht. So ist in Marburg der ehemalige Arnsburger Hof, Barfüßerstraße 3, und daneben der stattliche ehemalige v. Dernbach'sche Hof mit gotischem Portal über hoher Freitreppe (Obergeschoß mit Erker in Fachwerk) zu nennen. Das Haus des Bürgers aber war mit wenigen Ausnahmen ein Fachwerkhaus.

Fachwerkhäuser gehen nur verhältnismäßig selten über das Jahr 1500 zurück, was z. T. gewiß mit den häufigen Bränden zusammenhängt. In Marburg war jedoch bis 1876 in der Neustadt ein Haus erhalten, das mit guten Gründen in die Zeit um 1320 datiert wird. Karl Schäfer, der Erbauer der Universität, hat es kurz vor dem Abbruch vermessen und aufgenommen und hat es als das älteste bekannte deutsche Fachwerkhaus bestimmt, eine Datierung, die noch heute zu Recht besteht. Es handelte sich um ein dreigeschossiges Giebeldoppelhaus mit zwei spitzbogigen Eingängen in der Mitte. Seine konstruktive Besonderheit bestand darin, daß die fast 9 m hohen Pfosten

*Marktplatz. Östliche Häuserreihe um 1850*

Von rechts nach links: Altes Haus an der Treppe zum Hirschberg. 1911 durch modernen Fachwerkbau ersetzt — „Salz-
rümpfchen", alte Trinkstube, um 1890 umgebaut — Zwei schmale, vermutlich noch gotische Häuser, seit Mitte des 19. Jahrhunderts unter einem Giebel — „Paradies", alter Bau von 1497 durch Neubau 1920 ersetzt — An Stelle des alten Eckhauses
zur Marktgasse seit 1897 gelber Blendsteinbau — „Sonne", 1600. Seit 1569 Bäckerei und Wirtschaft — „Stiefel", ursprünglich
Doppelhaus. 16. Jahrhundert — „Roter Hirsch", Herberge von 1566 — Haus von 1560. 1927 renoviert — Die beiden
Häuser ganz links vermutlich 18. Jahrhundert, ehem. v. Döring'scher Besitz

durch alle drei Geschosse durchgeführt waren und daß die Geschoßüberstände an der
Giebelseite dem eigentlichen Hausgerüst mit unten freiendigenden Hängepfosten nur
vorgelegt waren. Ein Rest dieser Hängekonstruktion ist im Museum erhalten.

Weite Geschoßüberstände sind überhaupt für die älteren Fachwerkhäuser charakte-
ristisch. Man ließ die Balken (Stichbalken) der Geschosse überstehen, legte auf die
Enden den Schwellbalken, dem wieder die oberen Geschoßpfosten aufgesetzt wurden.
Unter die Balkenüberstände wurden zur Verbindung der unteren und der oberen
Pfosten und zur Versteifung des Gefüges sogenannte Knaggen gesetzt. Diese Knaggen
sind ein hauptsächliches Charakteristikum der vor oder um 1500 entstandenen Häuser.
In ihrer frühesten Form sind es lange schlichte Dreieckshölzer, so wie sie sich an der
Seitenfront des Eckhauses Markt 10 (über dem romanischen Keller) finden. Später
werden die Knaggen geschweift und oft reich verziert, so an dem leider verschwun-
denen Hause Ecke Wettergasse—Judengasse, von dem noch Knaggen mit Figurenschmuck im Museum erhalten sind. Der reiche Knaggenschmuck des Bopp'schen Hauses
in der Wettergasse (gegenüber Marktgasse) ist z. T. durch moderne Figurenknaggen
ersetzt. Einfache geschweifte Knaggen finden sich im Obergeschoß eines erst kürzlich
vom Verputz befreiten Hauses Steinweg 19, an das im 17. Jahrhundert ein breiter
dreigeschossiger Erker angebaut worden ist. Die Knaggen an einer Seitenwand des
linken Hauses auf Bild 56 weisen zusammen mit den Viertelkreishölzern auf Entstehung um 1480.

Der Knaggenstil, der in dem strengen Übereinander der Pfosten, den gleichmäßigen
Knaggenreihen und der regelmäßigen Reihung der Fenster durchaus der strengen
Reihung durchgehender Vertikalglieder und der Wandauflösung im gotischen Steinbau
entspricht, hat seinen Schwerpunkt im niederdeutschen Fachwerkgebiet, zumal in den
Weser- und Harzstädten. In Marburg begegnet er sich mit der fränkischen Art, die
schon früh Wert legt auf reiche Verstrebung der Eck- und Bundpfosten durch ge-

schwungene und sich kreuzende Hölzer. Diese oft die Fläche dekorativ überspinnenden Verstrebungen lassen weniger Raum für die Fenster, bedingen jedenfalls deren Gruppierung. Für diese Art ist am Hirschberg 14 ein Beispiel erhalten, ein Haus, das zu Anfang des 16. Jahrhunderts entstanden sein mag. Aus der gleichen Zeit scheint die jüngst hervorragend wiederhergestellte Traubenapotheke in der Wettergasse zu stammen, an der ebenfalls Reste von geschwungenen und sich durchkreuzenden Eckstreben festgestellt worden sind. Ein anderes Haus dieser Art in der Augustinergasse ist jedenfalls zeichnerisch überliefert.

Seit dem 16. Jahrhundert setzt sich im Marburger Fachwerkbau wie überall in Hessen der Rahmenbau durch, der die Geschoßwände in sich verstrebt, die Geschosse als selbständige Schichten behandelt, wodurch das Vertikalgerüst der durchgehenden oder durch Knaggen verbundenen Pfosten seine Bedeutung mehr und mehr verlieren mußte: Die Renaissance löst auch im Holzbau die Gotik ab. Schmuckträger werden jetzt in erster Linie die Balkenköpfe und die „Füllhölzer" zwischen ihnen. Von dem Schmuckstil, der sich überall im deutschen Fachwerkbau seit der zweiten Hälfte des 16. Jahrhunderts mit Erkern, reich geschnitzten Schwellen, Balkenköpfen und Füllhölzern, mit Kreuzhölzern in den Brüstungsgefachen und Verstrebungen durch-
57,58 setzt, geben die Häuser am oberen Markt einen Begriff. Aber auch hier erweist sich Marburg mit einer gewissen Kargheit und Nüchternheit der Verstrebungen als
59 dem Grenzgebiet zwischen fränkischem und niederdeutschem Fachwerk zugehörig.

Das Fachwerk hat seine Blüte im 16. und 17. Jahrhundert. Im 18. Jahrhundert werden die Hölzer dünn, die Verstrebungen einfach und geradlinig. Die Geschoßüberstände
56 fallen fort, so daß eine glatte Gesamtfläche entsteht, die oft von vornherein auf Ver-
Textbild putz berechnet ist. Aber auch in diesem späten Fachwerk sind in Marburg noch recht
S. 20,21 ansehnliche Bürgerhäuser gebaut worden, so die beiden Eckhäuser Markt 11 und 12 am Eingang zur Nikolaigasse, von denen alte Bilder erhalten sind. Auch die vielleicht zu Ende des 18. Jahrhunderts errichteten Häuser Steinweg 36 und 38 (Café Menz) sind noch von guter Wirkung im Straßenbilde. Erst der Versuch, die reichen Formen der Blütezeit nachzuahmen und die Häuser mit Schnitzwerk zu überladen und aufzuputzen, bedeutet den wahren Verfall.

Kehren wir noch einmal zum 16. Jahrhundert zurück. Für die ursprüngliche Inneneinrichtung der meist völlig verbauten Häuser haben wir nur wenig Anhaltspunkte. Eine Eingangshalle, dem Ehrn des Bauernhauses entsprechend, ist vielfach noch zu erkennen. Oft finden sich auch Treppen mit schönen Geländern. Interessant die Wen-
57,58 deltreppe aus einem mächtigen Eichenstamm in der alten Herberge zum Hirschen (Markt 19).

Steinhäuser haben sich reiche Bürger wie gesagt nur ganz vereinzelt gebaut, so Her-
53 mann Schwan 1528 in der Nicolaigasse 3 den „Oberen Schwan", ein festes Haus mit je drei Türmchen an Vorder- und Rückseite. Auch hier eine weiträumige Eingangshalle mit Stuckdecke von 1663 und eine Wendeltreppe als Verbindung zwischen den Stockwerken. Hermann Schwan hatte — bezeichnend für seinen Reichtum — auch ein Landhaus an der Straße „Im Sande" (heute Schwanallee), das z. T. in der heute dort befindlichen Tabakfabrik erhalten ist. Von der bürgerlichen Wohlhabenheit in der Zeit Ludwigs IV., dessen gute finanzielle Verhältnisse und prunkhafte Hofhaltung

sich auch auf die Stadt auswirkten, gibt vor allem das schöne Renaissanceportal, jetzt
am Marstallgebäude des Schlosses, einen Begriff. Es stammt von dem Hause Steinweg 4, das sich der Bürgermeister Jacob Blankenheim 1573 baute und das, nach dem
Portal zu schließen, sehr stattlich gewesen sein muß.

## NIEDERGANG VOM 17. BIS ZUM 19. JAHRHUNDERT

Unter Ludwig IV. († 1605) war Marburg zum letzten Male landgräfliche Hauptresi-
denz. Kassel und Darmstadt waren von nun an allein die Hauptstädte der beiden
Hessen und die Sitze der fürstlichen Hofhaltung. Während diese Städte einen glanz-
vollen Aufschwung nahmen, waren die besten Zeiten für Marburg vorüber. Wohl
spielte die Stadt noch militärisch für die Landgrafen eine wichtige Rolle. Das hat sich
aber nur zu ihrem Schaden ausgewirkt. Die nachmittelalterlichen Jahrhunderte haben
zu weiterem Aufbau der alten Stadt nichts mehr beigetragen. Im Gegenteil setzt seit
dem 30jährigen Kriege mit einer zunehmenden Verarmung der Bevölkerung der Abbau des mittelalterlichen Stadtbildes ein.

Die Belagerung und Einnahme der Stadt durch die Kaiserlichen 1647 endete mit der
Sprengung der Tortürme und einer teilweisen Schleifung der Mauern. Zwar wurden
die Tore in einfacheren Formen zunächst wieder aufgebaut, aber der stolze Kranz       Textbild
der Mauern mit Türmen und Toren, wie ihn noch Merians Stich von 1646 zeigt, hatte   S. 27
doch starke Einbuße erlitten. Das Schloß hatte sich als starke, nur schwer einnehm-
bare Festung erwiesen. Seine Befestigungen wurden noch erheblich verstärkt und so-
weit möglich der modernen Kriegführung angepaßt. Die Stadt selbst konnte daneben
kaum noch als befestigt gelten.

Im 18. Jahrhundert setzten sich Verfall und Abbau fort. Die Franziskanerkirche
wurde abgebrochen und 1731—32 durch eine Universitätsreithalle ersetzt (heute In-
stitut für Leibesübungen). Daß daneben 1744 in dem Gasthaus zum weißen Roß
(später Post, heute Kreishaus) noch ein sehr ansehnliches Steingebäude aufgeführt
wurde, sei nicht vergessen.

Auch im Siebenjährigen Kriege wurde die Stadt durch dauernde Truppendurchmärsche,
Besatzungen und Kontributionen, vor allem auch durch die Belagerungen, Beschießun-
gen und Plünderungen in den letzten Kriegsjahren schwer mitgenommen. Von alten
Gebäuden fielen 1761 insbesondere der Fruchtspeicher und die Firmanei des Deutschen
Ordens einem Brande zum Opfer. Die wertvolle alte Firmaneikapelle wurde dabei
zur Ruine und mußte 1796 abgebrochen werden. 1776 wurden in Erkenntnis ihrer
Nutzlosigkeit im modernen Kriege der größte Teil der Festungswerke und auch die
nach dem 30jährigen Kriege neu aufgebauten Tore niedergelegt. Letztere bestanden
nur noch als Torhäuschen fort. Der Rest der Festungswerke am Schloß wurde 1807
durch die Franzosen gesprengt. Es sei hier noch des Ballhauses gedacht, eines stattlichen ca. 30 m langen Gebäudes, das Landgraf Moritz 1605—08 zur Unterhaltung
der Universität und seines Hofes an der Stadtmauer oberhalb des Kalbstores hatte
aufrichten lassen. Auch dieser Bau geriet im 18. Jahrhundert mehr und mehr in Verfall und mußte 1781 abgebrochen werden.

Wichtig war bei den dauernden Truppendurchmärschen in der Napoleonischen Zeit die Anlage der großen Umgehungsstraße Pilgrimstein- Am Grün-Kämpfrasen-Frankfurterstraße, die den engen Gassen der Stadt fühlbare Entlastung brachte.

Den größten Schaden hat das Stadtbild jedoch erst im letzten Viertel des 19. Jahrhunderts erlitten, als der plötzliche wirtschaftliche Aufschwung im Reich zu einer Art Großmannssucht führte, die, gepaart mit Unechtheit der Baugesinnung, sich verheerend auf unsere Baukultur auswirkte.

Damals wurden viele der alten Marburger Fachwerkhäuser abgerissen und durch häßliche aufgeputzte Backsteinkästen ersetzt, die heute noch die alten Gassen verunzieren. Abgerissen wurden ohne Not die Wirtschaftsgebäude des Deutschen Ordens. Auch an den heute noch stehenden Fruchtspeicher von 1515 war schon die Spitzhacke gelegt. Ein unersetzlicher Verlust war der Abbruch des alten Elisabethhospitals von 1254, dessen Kapelle nur mit Mühe als Ruine erhalten werden konnte. Ihre und des Kornspeichers Rettung wird dem ersten Bezirkskonservator Ludwig Bickel († 1901) verdankt, der sich um die Bau- und Kunstdenkmäler Marburgs größte Verdienste erworben hat. Seine reiche Sammlung von wertvollen Stücken des alten Kunsthandwerks bildet den Grundstock des Marburger Universitätsmuseums, dessen sehr beachtliche und gut aufgestellte Bestände, namentlich an Werken der Volkskunst und des Kunstgewerbes, das äußere Bild der Stadt zu ergänzen sehr geeignet sind.

Wenig erfreulich ist für uns heute die „Verschönerung", die sich viele alte Fachwerkbauten gefallen lassen mußten. Auch die nachgemachten „altdeutschen" Fachwerkhäuser werden von uns abgelehnt. Die Baumeister solcher Häuser glaubten gewiß nicht, wider den Geist der alten Stadt zu sündigen, im Gegenteil meinten sie sich dem Stil des Alten anpassen zu müssen. Es war ja überhaupt die Zeit, in der man glaubte, jeden Stil der Vergangenheit heraufbeschwören zu können. Selbstverständlich, daß es in Marburg die Gotik sein mußte.

An Karl Schäfer, den Schüler des bekannten Neugotikers Ungewitter, erging 1870 der Ruf nach Marburg zum Neubau der Universität an der Stelle des bisher als Universitätsgebäude dienenden Dominikanerklosters. Daß man einen Sechsundzwanzigjährigen mit dieser Aufgabe betraute, spricht für die genialen Fähigkeiten dieses Mannes, der später auch als Bauforscher und Hochschullehrer einen so hohen Ruf erlangen sollte. Abbruch und Bau zogen sich im ersten Bauabschnitt bis 1878 hin, erst 1887—90 fand das Werk mit dem Bau der Aula seinen Abschluß. Ein gewaltiges Unternehmen, das schon hinsichtlich seiner Dauer einem mittelalterlichen Kirchenbau vergleichbar erscheint, dem es aber auch in seiner Solidität und bis in alle Einzelheiten hinein werkgerechten Gesinnung nahesteht.

So kühl uns heute die gotischen Formen lassen, so sehr wir in dem Rückgriff auf einen längst vergangenen Stil einen Irrweg des Meisters sehen, im Ganzen werden wir seinen Bau doch positiv bewerten müssen. Er ist aus einem sicheren Gefühl für Massenwirkung dem Stadtaufbau als machtvoller Eckstein eingefügt, ist als eine Burg der Wissenschaft der Fürstenburg auf dem Berge gegenübergestellt.

Wie sehr Schäfer die Sünden, die in jener Zeit gegen das alte Stadtbild begangen wurden, verurteilte, geht aus folgender Äußerung hervor: „Ganz neue Stadtteile mit meist nichtssagenden Bauten auf einem nüchternen, schachbrettartigen Bebauungsplan umlagern und verhüllen die malerische alte Stadt, und die unklaren Triebe eines irregeleiteten, kurzsichtigen Nützlichkeitssinnes haben den ehemaligen herrlichen Schmuck der Umgebung, die Linien und Gruppen alter mächtiger Laubbäume, meist zu Falle gebracht. Bahnhofsgebäude in unzulänglichstem Baustil, eine entsprechend ausgestattete Brücke und eine anspruchsvolle, aber reizlose, seltsamerweise rechtwinklig gegen einen Felsrücken totlaufende Bahnhofstraße bilden den Zugang, der früher, unter hohen Baumwipfeln hindurchführend, von schwer zu vergessender Schönheit war." Wenn Schäfer daraus schließt, daß von dem alten Marburg keine Rede mehr sein könne, so ist das doch zu pessimistisch. Gewiß sind die neuen Stadtteile, die sich damals nach Süden und Osten bis zur Lahn, nach Westen bis zur Schwanallee und in die Ockerhäuser Bucht hinein vorgeschoben haben, in ihrer schematischen Anlage höchst unerfreulich, sind die Häuser — oft mit Türmchen und einem Mischmasch von Stilformen aufgeputzt, ohne Gefühl für Maßstab und Verhältnisse — Schulbeispiele für die unechte Fassadenbauweise der Zeit. Darüber steht jedoch gelassen und unerschütterlich die alte Stadt am Berge. Wenn die Mißgriffe einer sich um die Jahrhundertwende auch in anderen alten Städten schlimm auswirkenden Großmannssucht gewiß höchst bedauerlich sind, letzten Endes haben sie das Marburger Stadtbild wohl beeinträchtigen, doch nicht zerstören können. Das gilt auch von der Häuserreihe am Biegen, den Schulbauten am Lahnufer und dem sich roh vor das Stadtbild schiebenden Fabrikschornstein am Pilgrimstein.

Der Schwung der am Berge hochsteigenden Stadt übertönt die unechten Klänge, gibt auch charakterlosen Häusern Bedeutung und läßt die gotischen Türmchen der in das Grün des Berghangs eingebetteten Villen in den Chor des „Aufwärts" einstimmen.


## GEGENWART

Es ist nicht schwer, die alte Stadt am Berge den neuen Stadtteilen zum Nachteil der letzteren gegenüberzustellen. Kann man aber überhaupt von moderner Stadtplanung eine Geschlossenheit verlangen, wie sie für die alten Stadtbilder charakteristisch ist? Die alte Stadt drängte sich im Schutze des Mauerrings zusammen, überragt von Kirche oder Burg, das ist das einfache Geheimnis ihrer auch ohne Ummauerung fortbestehenden Geschlossenheit. Die moderne Stadt strebt auseinander, sie zerfließt in Stadtrandsiedlungen. Sie hat nicht e i n e n Mittelpunkt, sondern viele. Dagegen ist nichts zu sagen. Es entspricht den modernen Verhältnissen und gestattet durchaus künstlerisch einwandfreie Lösungen.

Aber wie verträgt sich solche Dezentralisierung mit dem Alten? Marburg hat sich in den letzten Jahrzehnten räumlich außerordentlich entwickelt. Waren bis zum ersten Weltkriege im Wesentlichen erst die Räume im Tal zwischen Berg und Fluß ausgefüllt, und das auch nur lückenhaft, so drängte seitdem die Stadt schnell über den Fluß hinüber. Neue Stadtteile entstanden auf den jenseitigen Berghängen, die sich heute schon weit über den Südbahnhof hinaus fast bis nach Kappel hinziehen. Ein buntes Gewimmel von Siedlungen erfüllt Tal und Hänge, scheinbar regellos, doch dem Gelände angepaßt und durch Gärten, Felder und Wald aufgelockert.

Die Geschlossenheit der alten Stadt tritt gegenüber dieser Dezentralisierung erst recht in Erscheinung. Gefahrenpunkte sind nur die Stellen des Übergangs vom Alten zum Neuen. Wenn da die Sünden der Väter auch nicht wieder gut zu machen sind, so ist doch in der neueren Bebauung der Anschluß an einigen Stellen mit bemerkenswertem Takt gelöst, so in der Kinderklinik hinter der Elisabethkirche oder in der Platzgestaltung an der alten Herrenmühle vor der Weidenhäuser Brücke.

Überhaupt muß im Ganzen festgestellt werden, daß sich in den neuen Siedlungen und Straßenzügen das Gefühl für gute Proportion und Einordnung in die Landschaft mehr und mehr durchgesetzt hat, daß lebendiges künstlerisches Empfinden an die Stelle der Reißbrettplanung getreten ist. Wo der Baumeister sich der Landschaft ein- und unterordnet, kann es keine Dissonanz mit dem Alten geben. Das Echte paßt immer zu dem Echten.

Erfreulich auch die Großbauten, die in den zwanziger und dreißiger Jahren errichtet worden sind. So hat der vornehme, großzügige, dabei zurückhaltende Bau des neuen Staatsarchivs dem früher so charakterlosen Friedrichsplatz im Zusammenklang mit den ausgedehnten gärtnerischen Anlagen ein ganz neues Gesicht gegeben. Auch der Ernst-von-Hülsen-Bau (Universitätsmuseum) gibt der Biegenstraße jedenfalls einen großen, künstlerisch bedeutenden Auftakt.

Marburg hat das große Glück gehabt, von Luftangriffen im letzten Kriege nur in geringem Maße betroffen zu werden. Hoffentlich wird der Wiederaufbau im Bahnhofsviertel, insbesondere der Neubau der Kliniken und Institute, genützt, um diesem bisher so reizlosen Zugang zur Stadt die fehlenden künstlerischen Betonungen zu geben.

Aber bei aller räumlichen Ausdehnung der Stadt liegt ihr Schwerpunkt nach wie vor in der Altstadt. Hier erfordert die Einbeziehung der alten Gassen in das moderne Leben besondere Behutsamkeit und Verständnis für die Werte des Alten. Auf solches Verständnis darf man wohl aus den mannigfachen Wiederherstellungen alter Fachwerkhäuser, aus der Bereicherung des Marktplatzes durch die schöne Drachentötergruppe auf dem alten Brunnen und aus anderen Maßnahmen ohne Weiteres schließen.

Große Schwierigkeit macht in Marburg wie in anderen alten Städten der auch die Altstadt durchpulsende moderne Kraftwagenverkehr. Möge es hier bald gelingen, eine der Stimmung und Schönheit der alten Plätze und Gassen gerecht werdende Lösung zu finden! Gewiß soll die Stadt kein Museum sein, sondern ein lebendiger Organismus. Aber erst die in einer Stadt verkörperten geschichtlichen und künstlerischen Werte geben ihr Tiefe und Resonanz.

Mancher wird freilich für solche Werte kein Auge haben, er wird in den engen und steilen Gassen nur Unbequemlichkeit, in den alten Gebäuden nur altmodisches Gerümpel sehen. Ihm wird auch dieses Buch nichts sagen. Es ist in erster Linie geschrieben für jene Tausende junger Menschen, die sich alljährlich in den Hörsälen der Universität drängen, die in frohen Wanderfahrten die Stadt durchziehen, die sich von der Schönheit der Elisabethkirche entzünden lassen, die sich begeistern an dem prächtigen Blick hoch vom Schloß herunter über die alten Dächer in die Weite des Lahntals, für alle jene, in denen die reiche Vergangenheit der Stadt immer wieder zu neuem Leben erwacht.

*Stadtansicht aus Merians Topographia Hassiae 1646*

## ZU DEN BILDERN

1. **Blick auf die Stadt von Süden.** Marburg gehört zu den Städten, die, an zwei Seiten eines Berges gelegen, sich nicht in einer Ansicht erfassen lassen. Die Südansicht — von der gegenüberliegenden Höhe — ist am reichsten und zeigt am meisten von der alten Stadt. Man sieht, wie der vom Schloß bekrönte Berg in Stufen nach Süden abfällt. Unterhalb des Schlosses die Marienpfarrkirche, rechts davon die alte Kanzlei (Landgericht), links die ehem. Kugelherrenkirche, hinter der die Reste der Stadtmauer sich als westliche Grenze der alten Stadt den Berg hinabziehen. Ganz rechts über der Lahn die Universität als Angelpunkt des Stadtgrundrisses, über dem sich die Stadt mit Rathaus und Markt steil zum Schlosse aufbaut.

2. **Stadtansicht von der Lahn aus.** Das Bild mit dem Lahnwehr und dem Steg im Vordergunde läßt die markanten Punkte des Stadtaufbaues in der Nah- und Unteransicht noch stärker in Erscheinung treten.

3. **Marburg. Gesamtblick vom Ortenberg.** Die Ostansicht — vom Ortenberg — zeigt die Universität als linken Eckpunkt, von dem aus sich die alte Stadt mit eng aneinandergedrängten Häusern am Osthang des Schloßberges entlangzieht. Rechts die Elisabethkirche, ursprünglich außerhalb der Stadt, durch die moderne Bebauung in sie einbezogen. Die für die Nordansicht so charakteristische Silhouette der vom Schloß über Marienkirche und Rathaus zur Universität absteigenden Stadt wird hier schon sichtbar.

4. **Marburg. Luftbild.** Das Luftbild ergänzt die Bodenansichten zu einer dem Stadtplan entsprechenden flächigen Gesamtschau. Die Ecklage der Universität kommt besonders gut heraus. Die alte Stadtgrenze biegt scharf nach Norden um mit dem Straßenzuge Wettergasse — Neustadt — Steinweg, der im Tal begleitet vom Pilgrimstein zur Elisabethkirche führt. Im Hintergrunde die an der Nordseite des Schloßberges im Tale verlaufende Ketzerbachstraße, dahinter der steile Anstieg zur „Augustenruh".

5. **Schloß von Nordwesten. Luftbild.** Das Schloß ist als Ganzes kein einheitlicher Bau. Aus kleinen Anfängen hat es sich im Laufe der Jahrhunderte auf dem beschränkten Raume der felsigen Bergkuppe zu jener großartigen Anlage entwickelt, die uns im Wesentlichen heute noch erhalten ist. Ob als Kern ein Wohnturm der Gisonen, der Grafen des Ober-

lahngaues im 11. Jahrhundert, anzunehmen ist, steht dahin. Gesichert ist eine „thüringische" Burg des 12. Jahrhunderts (Südflügel), die in der zweiten Hälfte des 13. Jahrhunderts durch die hessischen Landgrafen umgebaut und durch den Nordflügel (Saalbau) ergänzt wurde (im Bilde links). Zu Ende des 15. Jahrhunderts kamen Westflügel (im Bilde vorn) und Wilhelmsbau (hinten) hinzu, noch später die Gebäude des äußeren Schloßhofes. Von den stattlichen äußeren Befestigungswerken sind nur noch spärliche Reste erhalten. (Turm im Vordergrunde.)

6. Schloß. Südansicht. Die Uneinheitlichkeit des Ganzen tritt namentlich in der malerischen Hauptansicht von Süden deutlich hervor. Unregelmäßige Fensterachsen und verschiedenartige Fenster weisen auf mehrfachen Umbau hin. Der Südflügel schließt rechts mit dem Kapellenbau des 13. Jahrhunderts ab. Der malerische Vorbau mit Renaissancegiebeln und Arkaden im Erdgeschoß wurde 1572 durch den landgräflichen Baumeister und Meister astronomischer Uhren Ebert Baldewein als Rentkammer angefügt. Rechts der spätgotische Wilhelmsbau mit der charakteristischen Brücke zum Hauptschloß (an Stelle einer älteren 1880 wieder aufgebaut).

7. Schloß. Ansicht von Westen. Auch der Westflügel zeigt bei näherer Betrachtung Reste älteren Mauerwerks, älterer Bauzustände. 1486 wurden die früheren Baulichkeiten (Wohnturm Heinrichs I. 13. Jh.) zu dem Frauenbau, dem heutigen Westflügel, zusammengefaßt.

8. Schloß von Nordosten. Das stolzeste, einheitlichste und in seinem ursprünglichen Bestand am besten erhaltene Bauwerk der Schloßanlage ist der Saalbau. Vermutlich noch von Heinrich I. († 1308) begonnen, wurde er wohl zwischen 1320 und 1330 vollendet. Die hohe Nordansicht des zweigeschossigen Bauwerks in ihrer monumentalen Gliederung durch den Mittelvorbau mit Treppengiebel, durch Ecktürmchen und große Maßwerkfenster, ist sehr eindrucksvoll. Man möchte in diesem Bau den Ausdruck der bedeutenden landesherrlichen Machtstellung und gesteigerter Repräsentationsbedürfnisse des Landgrafen sehen, der 1292 in den Reichsfürstenstand erhoben worden war. Links im Bilde der Wilhelmsbau, 1492—98 von Landgraf Wilhelm II. errichtet: dreigeschossig, Wappensaal im 1., ursprüngliche Wohnung des Landgrafen im 2. Obergeschoß. In der Mitte der Küchenbau, an den Saalbau anschließend, der vielfach umgebaut und erweitert erst im 17. Jh. seine heutige Gestalt erhalten hat.

9. Schloß. Rittersaal. Der das Obergeschoß des Saalbaues einnehmende Rittersaal ist einer der schönsten Räume früher gotischer Profanarchitektur in Deutschland, zweischiffig mit Mittelreihe von vier achteckigen Pfeilern, aus denen die Gewölbe ohne Kapitell emporwachsen. Bestimmend für die breiten, schweren, jedoch keineswegs gedrückten Verhältnisse des Raumes sind die niedrigen Pfeiler, über denen die Gewölbe fast noch die doppelte Höhe erreichen. Mächtige Maßwerkfenster, fünf an der Nord- je zwei an der Hof- und Westseite geben ausreichende Beleuchtung. Dem zum Hof führenden Hauptportal gegenüber eine dem äußeren Vorbau der Nordseite entsprechende Raumausbuchtung. Das Hauptportal innen verkleidet mit einer an figürlichen und ornamentalen Schnitzereien und Einlegearbeiten sehr reichen hölzernen Portalarchitektur von Nikolaus Hagenmüller (1573).

10. Saalbau, Westfront. Fenstermaßwerk und Strebepfeiler des Saalbaus schließen sich mehr oder weniger eng an die Elisabethkirche an. Untergeschoßfenster schmale gestaffelte Spitzbogenfenster ohne Maßwerk, Obergeschoß Maßwerkfensterpaare darüber großes Kreisfenster.

11. Schloß. Eingang zum Wilhelmsbau. Das schlichte Portal zu dem „Neuen Bau" Landgraf Wilhelms III. ist bekrönt von einer dem Eingang an Höhe fast gleichkommenden Wappentafel mit Wappenhaltern, über der noch ein Baldachinaufsatz angeordnet ist mit den wie zum Fenster herausschauenden Halbfiguren des Landgrafen (verstümmelt) und seiner Gemahlin. Das feine beachtliche Werk (bez. 1493) früheste bekannte Arbeit Ludwig Juppes.

12, 13. Schloßkapelle. Inneres nach Westen und Osten. Die der hl. Katharina und dem hl. Georg geweihte Schloßkapelle war spätestens 1288 geweiht und in ihrer Erstausstattung vollendet. In ihrer nach Osten und Westen mit $5/8$ Apsiden schließenden und durch apsisartige Quernischen bereicherten zentralisierenden Raumgestaltung erinnert sie wohl einerseits an den Ostbau der Elisabethkirche, entspricht sie aber andererseits auch durchaus der Tradition der Schloßkapellen (Doppelkapellen). Die Feingliedrigkeit der Architektur, der Wohllaut der Bogenlinien, die Schönheit der Raumverhältnisse, der Reichtum des Ornaments an Kapitellen und Schlußsteinen setzen eine Tradition der Steinmetzkunst voraus, wie sie an der Elisabethkirche in vielen Jahrzehnten herausgebildet worden war. Von der ursprünglichen Ausmalung ist das großartige Christophorusbild der Westapsis erhalten, eine 6 m hohe, streng frontale Figur mit bärtigem Christuskind auf der Schulter.

14. Schloß. Ehemaliger Marstall. Das Gebäude, das wie das rechtwinklig an seine nördliche Schmalseite anstoßende ehemalige Zeughaus in die Zeit Heinrichs I. zurückgeht, hat mehrfache Veränderungen erfahren, die tiefgreifendste 1575 durch Ebert Baldewein. 1628—30 wurde das ursprüngliche Fachwerk der Obergeschosse der Frontseite durch eine massive Wand mit abschließendem Schmuckgiebel ersetzt.

15. Schloß. Ehemaliger Marstall, Portal. Das große Renaissanceportal mit seiner reichen Säulenarchitektur gehört nicht zum alten Bestande der Schloßgebäude, so sehr man das wegen der vorzüglichen Durchbildung, die auf einen bedeutenden Künstler schließen läßt, vermuten möchte. Es wurde erst 1898 von einem 1573 erbauten Privathause (Quentin, Steinweg) hierher versetzt. Mit den reich verzierten Säulen und Sockeln, mit dem feinen Schmuck des Portalbogens und des Abschlußfrieses stellt es jedenfalls ein steinernes Gegenstück zu dem ebenfalls 1573 entstandenen Holzportal des Nikolaus Hagenmüller im Rittersaal dar.

16. Stadtbefestigung, Kalbstor. Von den mittelalterlichen Stadttoren ist nur das die Ritterstraße abschließende Kalbstor erhalten, mit seinem Rundbogen auf Wulstkämpfern offenbar im Zuge der um 1234 errichteten Stadtmauer gebaut — eins der ältesten Baudenkmäler der Stadt. Name nach dem hier früher liegenden Besitz der Familie v. Kalb.

17. Deutschordensgebäude. Komturei und Fruchtspeicher. Von der großen Deutschordensniederlassung, die in weitem Ring mit Herren- und Wirtschaftsgebäuden, mit Hospital und Firmanei, mit mächtigen Zehntscheuern die Elisabethkirche umgab, sind nur geringe Reste erhalten. Abgesehen von der Ruine der Hospitalkapelle aus der Mitte des 13.Jahrhunderts am Pilgrimstein und dem Fruchtspeicher von 1515 besteht nur noch das „Deutsche Haus", das Wohnhaus der Herren und die Komturei in erheblicher nachmittelalterlicher und moderner Verbauung. Am Deutschen Haus ist das barocke Portal und im Inneren der hohe kreuzgangartige, ursprünglich in Arkaden nach außen geöffnete Gang vor den Räumen bemerkenswert sowie der mächtige durch mehrere Stockwerke gehende Küchenkamin (vielleicht 15.Jahrhundert), der allein schon einen Begriff von der Großartigkeit des hier herrschenden Lebensstiles gibt. Sonst ist das Innere hier wie in der anstoßenden Komturei völlig den Anforderungen eines modernen Universitätsinstituts dienstbar gemacht. An der Ostseite der Komturei eine vorkragende kleine Apsis auf hoher vielgliedriger Konsole. Mit reichem, wappengeschmückten spätmittelalterlichen Erker bildet die Komturei zusammen mit dem hohen Fruchtspeicher eine malerische Gebäudegruppe an der Ostseite der Elisabethkirche.

18. Elisabethkirche. Westansicht. Die Elisabethkirche — 1235 begonnen — gehört zu den frühesten Kirchenbauten rein gotischer Konstruktion in Deutschland. Sie ist namentlich von der seit 1211 in Bau befindlichen Kathedrale von Reims stark beeinflußt. So zeigt auch die Zweiturmfront in ihrer Gesamtanlage Anklänge an das französische Kathedralschema, wenn auch in der massigen und mauerhaften Behandlung der mächtigen Strebepfeiler, überhaupt in den schmuckarmen großen Wandflächen und dem verhältnismäßig kleinen Hauptportal noch deutsch-romanische Tradition nachwirkt. Die Strebepfeiler klingen in Ecktürmchen aus, achteckige am Nordturm, viereckige am Südturm, zwischen denen Giebel mit den Statuen hessischer Landgrafen zu den schlank und frei über einer Galerie emporsteigenden Steinhelmen überleiten. Der Bau der Türme hat sich bis weit ins 14. Jahrhundert hinein erstreckt. Noch später ist der zierliche Mittelgiebel mit Wimpergen und Fialen.

19. Elisabethkirche. Südostansicht. Das Besondere in der Gesamtanlage der Elisabethkirche ist, daß ein Kleeblattchor mit einer dreischiffigen Hallenkirche und einem zweitürmigen Westbau zu einer großartigen, selbstverständlichen Einheit verschmolzen ist. Das Langhaus ergibt sich in seiner Außengliederung ohne Weiteres aus dem Chor, und an das

Langhaus schließt sich der Westbau so an, daß seine Gliederung als die monumentale Steigerung der Hallenwand erscheint.

20,21. **Elisabethkirche. Ost- und Südflügel des Kleeblattchores und Südseite der Halle.** Der Gedanke des Kleeblattchors und der zweigeschossigen Fensteranordnung weist auf die spätromanische Kölner Bautradition. Er ist hier ins Gotische übersetzt, jedoch so, daß man in der geschlossenen und ausgeglichenen Wandgestaltung, in der Betonung der horizontalen Erstreckungen das deutsch-romanische Formgefühl herausspürt. Über hohem Sockel baut sich die Wand in zwei gleichhohen, durch ein weit ausladendes Gesims getrennten Geschossen auf. Auf dem Gesims führt ebenso wie auf dem Sockel ein die ganze Kirche umkreisender Laufgang durch die Strebepfeiler hindurch. Überhaupt scheint das Zusammenbinden aller Bauteile durch fortlaufende Gesimse und Gliederungen ein besonderes Anliegen des Plans gewesen zu sein, das auch an die rheinische Spätromantik anknüpft. Eindrucksvoll der doppelte Reigen der Fenster in ihren schönen Verhältnissen und dem schlichten frühgotischen Maßwerk.

22. **Elisabethkirche. Hauptportal.** Verglichen mit den großen französischen Schmuckportalen wirkt das Marburger Portal recht bescheiden. Es muß jedoch wie die ganze Kirche aus der eigenen Tradition heraus verstanden werden. Ein spitzbogiges Säulenportal mit je vier Säulchen auf den abgeschrägten Gewänden, denen im Oberteil reich profilierte Wulstbögen im Wechsel mit lauborornamenterfüllten Kehlen entsprechen. Das Bogenfeld übersponnen von Rosen und Weinlaub in feinster Meißelarbeit. Darauf eine gekrönte Madonna unter Baldachin zwischen knienden Engeln, die Kronen darbieten. Die Schönheit des Werks liegt weniger in der Fülle des Ornaments als in den wohlabgewogenen, edlen Verhältnissen des Ganzen wie der Gliederungen sowie in der Feinheit und Erlesenheit der Steinmetzarbeit. Die Türflügel haben noch das alte Beschlagwerk der Ursprungszeit, dem auf der Innenseite das aufgemalte Deutschordenskreuz auf weißem Grunde entspricht.

23. **Elisabethkirche. Mittelschiff nach Osten.** Dem Eintretenden öffnet sich der Blick in das Mittelschiff der dreischiffigen Halle mit ihren hohen Pfeilern, darüber hinaus auf den im 14. Jh. eingefügten, ursprünglich reich mit Figuren besetzten Lettner. Die Hallenpfeiler stehen verhältnismäßig eng zusammen, — ebenso wie die schmalen Seitenschiffe ein Nachklang basilikaler Raumvorstellungen. So treten die Seitenschiffe im axialen Raumbild noch nicht sehr in Erscheinung. Die Rundpfeiler bilden gewissermaßen eine geschlossene Phalanx zu Seiten des Mittelschiffs.

24. **Elisabethkirche. Hochaltar.** Der Hochaltar von 1290 mit seinen reich geschmückten Wimpergen und Fialen zeigt einen architektonischen Aufbau, dem vielleicht eine Erinnerung an die Schauseite des Straßburger Münsters zu Grunde liegt. Von den Figuren sind die der linken Nische erneuert. Die Mittelnische enthält eine Madonna zwischen Kronen darbietenden Engeln in den etwas schwerflüssigen Formen, die auch für die Portalmadonna charakteristisch sind.

25. **Elisabethkirche. Hauptchor.** Der Ostchor ist der älteste Bauteil der Kirche. Mit ihm wurde 1235 neben der zunächst bestehenbleibenden Franziskuskapelle der Bau begonnen. 1249 konnte der Chor durch eine provisorische Mauer abgetrennt in Benutzung genommen werden. Gleichzeitig wurden die Reliquien der heiligen Elisabeth in ihn übertragen, sicher schon in dem kostbaren Schrein, in dem sie sich bis zur Reformation befanden.
Wieder ist es nicht der Reichtum an Schmuck, der die Schönheit des Raumes ausmacht, sondern es sind die edlen und klaren Verhältnisse, die Feinheit und Sauberkeit der Gliederung. Leicht und klar baut sich der hohe Raum auf. Von den wie gefalteten Wanddienstbündeln schwingen sich die Rippen in edler Linienführung wie zu einem Laubengerüst ein. Reich durchlichtet sind die Wände durch die doppelte Reihe der Fenster, in denen die alte Glasmalerei in ihrer Farbenpracht aufleuchtet.

26. **Elisabethkirche. Blick aus der Vierung in Ost- und Südchor.** Die Vierung ist der zentrale Ort, von dem aus sich die drei Chöre in ihrer kristallenen Schönheit in gleicher Weise herausrunden. Hier steht innen an den schlichten, nach Norden und Süden abschließenden Schranken das alte schmucklose Gestühl der Deutschherren. Nach Westen zum

Langhaus bildet der hohe Lettner des 14. Jh. den Abschluß. Vierung, Süd- und Nordchor sind im Anschluß an die Fertigstellung des Ostchors in den 50er Jahren des 13. Jh. hochgeführt. Vielleicht waren sie bei der Weihe des Johannesaltars im Südchor 1257 vollendet.

27. **Elisabethkirche. Lettnerbekrönung und Durchblick auf Chorfenster.** Der 1343 vollendete steinerne Lettner (vgl. Bild 23), dessen ursprünglicher Figurenschmuck bis auf Weniges vernichtet wurde (Reste im Museum), stellt sich in seinem reichen Aufbau und der gitterartigen Auflösung der Wand als ein Werk der hohen Gotik dar. In der Mitte ist ihm ein reichgeschmückter Bogen — offenbar von einem älteren Werk der Innenarchitektur — aufgesetzt, der mit seinen Pfeilern ursprünglich als Postament für eine Kreuzigungsgruppe gedient hat. In seiner Gesamtform mit innerem Dreipaß sowie in dem Laubschmuck schließt sich der Bogen auffallend an die Formen des Elisabethmausoleums an.

28. **Elisabethkirche. Spätgotische Elisabethstatue. Holz.** Im Mausoleum scheint in Vertretung des Schreins der Heiligen lange die heute im nördl. Seitenschiff aufgestellte Statue gestanden zu haben, in der die kindliche Zartheit unter der schweren Krone so rührend betont ist. Gotische Schwingung und Einzelheiten der Tracht, Faltenstil und Maßwerk des Holzgehäuses weisen in die zweite Hälfte des 15. Jahrhunderts.

29. **Elisabethkirche. Nordchor. Elisabethmausoleum.** Über der Stelle des ursprünglichen Grabes der hl. Elisabeth wurde nach Abbruch der Franziskuskapelle in dem wesentlich höher gelegenen Nordchor der Kirche ein baldachinartiger kleiner Bau errichtet, der viele Jahrhunderte die Hauptstätte der Elisabethverehrung war. Auf einer Tumba über dem zum Grabe führenden Schacht wurde der sonst in der Sakristei aufbewahrte kostbare Schrein an Feiertagen ausgestellt, gesichert durch ein kunstvolles Eisengitter, das im Vorderbogen erhalten ist. — Das kleine, vornehme Bauwerk, dessen dem Hauptportal verwandte Einzelformen auf eine Entstehung um 1280 deuten, ist seiner Bedeutung entsprechend aufs reichste geschmückt mit feingliedrigen Säulen und Bögen, mit Kapitellen und Laubfriesen von edelster Meißelarbeit und von einem unerschöpflichen Reichtum der Motive. Von der ursprünglichen reichen Bemalung sind noch Reste in den äußeren Bogenzwickeln (übermalt) und im Inneren an der Ostwand erhalten. Die Skulpturen an der Vorderwand der Tumba — Tod der Elisabeth — sind in der zweiten Hälfte des 14. Jh. hinzugefügt.

30-32. **Elisabethkirche. Elisabethschrein.** In der Sakristei befindet sich innerhalb einer mit Figuren und Ranken verzierten Vergitterung der kostbare Schrein, in dem bis zur Reformation die Gebeine der Heiligen aufbewahrt wurden, aus vergoldetem Kupfer über Eichenholzkern. In der üblichen Hausform mit Quergiebeln gefertigt, stellt der Schrein mit seinem Figurenschmuck, den reichen Filigran-, Durchbruchs- und Stanzarbeiten an Kämmen, Knäufen und Sockeln, dem unübersehbaren Besatz von Emails, Kameen und Edelsteinen eine der bedeutendsten deutschen Goldschmiedearbeiten aus der Mitte des 13. Jahrhunderts dar. An den Langseiten die Sitzfiguren der zwölf Apostel, unter dem mittleren Quergiebel Christus (gegenüber Reste einer Kreuzigung). Die ernste und strenge Haltung der Figuren, Gesichtsschnitt und Faltenbildung wurzeln noch in spätromanisch-byzantinischer Überlieferung, wie auch die monumentale Madonna der einen Schmalseite. Freier sind die Dachreliefs mit den Szenen aus dem Leben der Heiligen. Die Szene, wie Elisabeth sich mitleidsvoll zu den Hungernden niederbeugt, deren Köpfe bereits erstaunlich individualisiert sind, oder die andere, in der sie demütig vor dem strengen Beichtvater kniet, der ihr das Ordensgewand überwirft, gibt einen Begriff von der selbständigen Schöpferkraft dieses Künstlers, insbesondere auch von seiner großen Kunst der Flächenaufteilung.

33. **Elisabethkirche. Schrein des Katharinenaltars mit hl. Sippe.** Die Altarnischen in der Ostwand des Süd- und Nordchors (je zwei) waren ursprünglich nur ausgemalt, wie der heute wiederhergestellte alte Zustand des Katharinen- und Elisabethaltars im Nordchor zeigt.
Zu Ende des Mittelalters wurden in diese Nischen Schnitzaltäre des Marburger Bildhauers Ludwig Juppe eingestellt mit gemalten Flügeln (von Johann von der Leyten). Die 1511 datierten Schnitzereien des Katharinenaltars zeigen die hl. Sippe in einem kirchenartigen

Raum mit vielen Fenstern: in der Mitte Maria und Joseph, Joachim und Anna mit dem Jesuskind, seitlich die beiden anderen Marien mit ihren Kindern und an beiden Enden stehend Katharina und Barbara. In der vorzüglichen Durcharbeitung und Charakterisierung der Figuren, in dem Reichtum der Gewand- und Haltungsmotive, in der ausgeglichenen Komposition gibt das Werk einen hohen Begriff von der Bedeutung des Künstlers.

34. **Elisabethkirche. Ostchor. Elisabethfenster.** Wie der Schrein gehören auch die ältesten Glasfenster des Ostchors noch der Mitte des 13. Jahrhunderts an (vgl. auch Bild 27.) Ihre hohe künstlerische und kunstgeschichtliche Bedeutung ist unbestritten. Das Elisabethfenster (untere Reihe rechts) enthält in Vierpässen auf teppichhaftem Grund eine Reihe von Szenen aus dem Leben und der Liebestätigkeit der Heiligen, die z. T. auch auf den Dachreliefs des Schreins vorkommen. Wie Elisabeth sich zu der Kranken niederbeugt, das erinnert mit der hinter ihr stehenden Dienerin sehr an die Speisung der Hungrigen am Schrein und läßt an mittelbare oder unmittelbare Zusammenhänge denken.

35. **Elisabethkirche. Elisabethstatue im Zelebrantenstuhl.** Auf Juppe weist auch die bekannte Figur der hl. Elisabeth mit Kirchenmodell, die im mittleren Baldachin des Zelebrantenstuhls im Ostchor aufgestellt ist. Welch Gegensatz zwischen dieser majestätischen und fraulichen Erscheinung, die — in Gewandmotiven und Haltung — so an die Katharina des Sippenaltars erinnert, und der zarten Elisabeth aus dem Mausoleum!

36. **Elisabethkirche. Landgrafenchor.** Der Südchor scheint von Anfang an als Begräbnis- und Gedächtnisstätte der Landgrafen im Mittelalter gedient zu haben, wenn auch die Reihe der Grabmäler nicht vollzählig und ihre Aufstellung keineswegs ursprünglich ist. Das älteste Grabmal mit einer Liegefigur in noch romanisch schweren Formen ist das des Landgrafen und Deutschordenshochmeisters Konrad († 1240) im Vordergrunde. Von besonderem künstlerischen Wert sind die Grabmäler des 14. Jahrhunderts mit den Klagefiguren an den Tumben. Von den Denkmälern des späteren Mittelalters ist das von Juppe geschaffene des Landgrafen Wilhelms II. († 1509) hervorzuheben, aus Alabaster mit einer Darstellung des von Schlangen und Kröten zerfressenen Leichnams unter der Liegefigur.

37. **Elisabethkirche. Grabfigur Ludwigs I. († 1458).** Die Tumba mit Liegefigur wurde 1471 von Meister Hermann angefertigt. Ein ausdrucksvolles spätgotisches Werk, das Adolf v. Menzel zu einer feinen Zeichnung (Universitätsmuseum) gereizt hat. Das Motiv der die Seele in Empfang nehmenden Engel zu Seiten des Kopfes findet sich bei allen Liegefiguren mit Ausnahme der ältesten.

38. **Elisabethkirche. Grabfigur Heinrichs I. († 1308).** Das künstlerisch bedeutendste der Grabmäler ist das Heinrichs I., unter dessen Regiment (1264—1308) sich ein gut Teil der Baugeschichte der Elisabethkirche und des Schlosses abspielte. Im schmiegsamen Panzerhemd ist der Verstorbene dargestellt mit dem modischen, sich zu Seiten des Kopfes einrollenden Gelock. Wie sprechend und lebenswahr ist das Antlitz! Wie durchgefühlt der Körper unter dem stofflich so ausgezeichnet charakterisierten Panzerhemd! Man spürt den Nachklang der großen Bildhauerkunst des 13. Jahrhunderts. Stilistisch hängt das Werk eng mit Grabmälern in Bielefeld und Kappenberg zusammen. Man hat in den Klagefiguren die am Leichenzuge teilnehmenden nächsten Angehörigen des Verstorbenen erkannt und die Entstehung des Werks aus der besonderen mit Urkunden in Verbindung zu bringenden Darstellung dieser Personen auf 1326 bestimmen können (Küch).

39. **Elisabethkirche. Blick in die Halle von Südosten.** Beim Verlassen des Landgrafenchores bietet sich im südlichen Seitenschiff der hier wiedergegebene Schrägblick durch die Halle, der die hohen Rundpfeiler besonders in Erscheinung treten läßt. Hier löst sich die Gebundenheit der axialen Ansicht zu einem weiten, hellen Raumbilde, in dem die Pfeiler wie mächtige Stämme eines Waldes stehen. Auch die Halle ist nicht in einem Zuge hochgeführt. Nach Vollendung des Querschiffes scheint sie um 1260 begonnen zu sein. Im dritten Joch deutet der Wechsel von Einzelformen an Fenstern und Pfeilern auf Bauunterbrechung. So scheint sich der Langhausbau bis zur Weihe 1283 hingezogen zu haben.

40. **Steile Gasse der Südstadt (Langgasse) mit Blick auf Marienkirche und Schloß.** Eine der für Marburg so charakteristischen steilen, alten Gassen, die die am Hang laufenden Horizontalstraßen: Untergasse, Barfüßerstraße und noch höher die Ritterstraße verbinden. Hinter Putz und Verschieferung verbergen sich meist alte Fachwerkhäuser.

41-43. **Marienkirche (Lutherische Pfarrkirche).** Für die Baugeschichte der Marienpfarrkirche ergeben sich drei Hauptabschnitte. Der Chor, einschiffig mit $5/8$ Schluß, war ursprünglich selbständiger Bau mit polygonalem Abschluß auch im Westen, im Grund- und Aufriß an die Schloßkapelle, im Ornament an die Westteile der Elisabethkirche angelehnt. Weihe 1297, Bauherr Deutscher Orden als Patron der Pfarrkirche. Im 14.Jahrhundert bauen Pfarrgemeinde und Stadt an diesen einschiffigen Bau als Chor ein dreischiffiges Langhaus, eine Halle mit weiten Pfeilerabständen, aber noch schmalen Seitenschiffen in Weiterentwicklung des Systems der Elisabethkirche. Hauptfront die Südseite mit mächtigem Portal über Freitreppe, das durch Einbeziehung des dem Westfenster der Elisabethkirche nachgebildeten breiten Prachtfensters die Höhe der Strebepfeiler erreicht. Baumeister war zuletzt Tyle von Frankenberg (seit 1375). Der Raumeindruck der Halle etwas nüchtern und durch den Emporeneinbau entstellt. Einzelformen schematisch. Der Westturm mit reichen Maßwerkfeldern an den Strebepfeilern, Galerie mit Ecktürmchen unter dem heute schief gezogenen Helm erst um die Mitte des 15. Jahrhunderts angebaut (1447—73), vermutlich an Stelle eines hier befindlichen älteren, romanischen Bauwerks, dessen Abbruchmaterial an die Dominikaner verkauft wurde.

Der Anbau am Chor mit reichem Portal und Giebel mit Uhr (steinernes Zifferblatt) in Renaissanceformen um 1600 als Treppenhaus für den herrschaftlichen Kirchenstand errichtet.

44. **Marienkirchplatz, Kerner.** Das zweigeschossige, hohe rechteckige Steinhaus hinter dem Chor der Marienkirche (heute zweites Pfarrhaus) enthält im Untergeschoß zwei gewölbte Räume, die im 14.Jahrhundert als Beinhaus (carnarium) gedient haben. Das Obergeschoß, heute verbaut, war ursprünglich ein einziger hoher rippengewölbter Raum mit je zwei Maßwerkfenstern an den Längsseiten, einem an der Ostseite und einem spitzbogigen Eingang unter einem Kreisfenster an der Westseite. Das Gebäude kann wohl nur die in einer Urkunde von 1356 erwähnte Kapelle des hl. Kreuzes sein. Gleichzeitig hat nach einer Urkunde von 1335 der obere Raum als Rathaus gedient. Der Altar soll den hl. drei Königen geweiht gewesen sein. Nach den Fensterformen und Maßwerkresten ist das Bauwerk etwa gleichzeitig mit dem „Saalbau" des Schlosses, um 1320, entstanden.

45. **Marienkirchplatz. Treppenausgang von der Unterstadt.** Der senkrechte Abfall des Geländes von der Ritterstraße zum Kirchplatz und vom Kirchplatz zu den an die Barfüßerstraße anschließenden Häuserblocks bedingte die Anlage von Treppen. Sind die zur Ritterstraße führenden schräg an der Stützmauer heraufgeführt, so führt die Treppe zur Unterstadt durch einen runden Schacht, der oben eine brunnenartige Fassung hat. Zusammen mit den Dacheingängen in die Häuser für das alte Marburg sehr bezeichnend.

46. **Chor der Universitätskirche (Ehemalige Dominikanerkirche).** Beim Umbau des Dominikanerklosters zur heutigen Universität im 19. Jh. blieb die alte Kirche erhalten: Langgestreckter gotischer Chor mit $5/8$ Schluß, verhältnismäßig kurze zweischiffige Halle. Das Kloster wurde 1291 gegründet, der Chor war 1300 im Bau. Ein hohes, lichtes Bauwerk, den anderen frühgotischen Bauten in Marburg durchaus ebenbürtig.

47. **Kath. Pfarrkirche (Ehemalige Kirche der Kugelherren). Chor.** Bauzeit der Kirche 1477—85. Weihe 1482. Hoher spätgotischer Raum mit reichem Netzgewölbe. Rippenanfänger kreuzen sich in der Wand verlaufend über den Kapitellen der dünnen hohen Dienste. Turmartiges Sakramentshaus (wie in Korbach und Fritzlar) Anfang 16. Jh.

48-50. **Rathaus.** Der Hirschberg (Bild 48) führt in direktem steilen Anstieg vom Lahntor zum Rathaus mit Fortsetzung in Markt und Mainzergasse. Das Rathaus, ein hoher spätgotischer Bau mit Staffelgiebeln wurde 1512—24 an Stelle eines älteren (am Marienkirchplatz) erbaut. Der Renaissancegiebel (Bild 50) über dem Treppenturm kam erst 1581—82 hinzu durch Meister Ebert Baldewein, nach dessen Angaben auch die große Uhr mit den Figuren des

33

blasenden Türmers, des Todes mit Stundenglas und des krähenden Hahnes angebracht wurde. Küchenanbau ebenfalls von Baldewein 1574—75. (Textbild S. 20)

51. Gotisches Steinhaus am Markt (Haus Zeisse). Das stattliche Haus von bedeutender Tiefe mit Staffelgiebeln zum Markt und an der Rückseite. Kern 13.Jahrhundert. Vielfach verändert. Zweigeschossiger rechteckiger Erker über Kellerhals.

52. Landgericht. Das ehemalige landgräfliche Kanzleigebäude wurde 1573—76 von Baldewein erbaut. Bedeutender wohlgegliederter Renaissancebau. Vier Geschosse, rechteckige Vorbauten an den Längsseiten, am südlichen Vorbau reiches Portal von 1575. Volutengiebel, ursprünglich figurenbekrönt. Figuren von Melchior Atzel.

53. Haus Nicolaigasse 3, sog. Hochzeitshaus. Stattlicher Steinbau mit je drei Dachtürmchen an Vorder- und Rückseite und mit steinerner Wendeltreppe an der Rückseite. 1528 von Hermann Schwan gebaut. Von einem Umbau 1663 die mit diesem Datum bezeichnete Stuckdecke der Eingangshalle sowie das schlichte Barockportal mit Wappen.

54. Universität. Aula und Kirche. An Stelle des früheren Dominikanerklosters, das schon seit Einführung der Reformation Universitätsgebäude war, wurde 1870—78 und 1887—90 von Carl Schäfer, dem bekannten Architekten und Bauforscher, die heutige Universität in neugotischen Formen errichtet. Die Aula mit ihren Prachtfenstern und drei Giebeln als machtvolle Betonung der Ecke des Stadtaufbaues, darüber in gutem Zusammenklang der hohe Chor der Dominikanerkirche, die erhalten blieb.

55. Ritterstraße. An der Ritterstraße, die sich wie ein Riegel vor den Schloßberg legt, lagen die Höfe der Burgmannen, „meist freie adelige Burgsitze, die untrennbar zur Burg gehörten". Sie waren zur Verteidigung der Burg in erster Linie berufen. Die Ritterstraße ist eine der malerischsten und an historischen Erinnerungen reichsten Straßen Marburgs. Interessant der alte Forsthof mit dem großen romanischen Taufstein aus der ältesten Pfarrkirche. Die Höfe mit den malerisch verschieferten Häusern meist nur an einer Seite der Straße, an der anderen der Steilabfall zum Kirchplatz mit Stützmauer, sowie die Dächer der Pfarrkirche.

56. Alte Fachwerkhäuser an der Reitgasse. Das Bild dieser erst vor kurzem vom Verputz befreiten Fachwerkhäuser gibt einen Begriff von den zahlreichen An- und Umbauten, die die sich auf engem Raume drängenden Häuser im Laufe der Jahrhunderte erfahren haben. Am ältesten ist das Haus im Bilde links, das noch ins 15.Jh. zurückgeht. An der linken Seite über dem Anbau ist der ursprüngliche Zustand des Fachwerks (mit Knaggen) erhalten. Reste der Viertelkreisfußhölzer auch im Giebel.

57,58. Fachwerkhäuser des 16. Jahrhunderts am Obermarkt. Es sind die stattlichsten der in Marburg erhaltenen alten Fachwerkhäuser. Die beiden im Bilde rechts wurden erst kürzlich freigelegt. Gasthaus zur Sonne, Markt 14, verhältnismäßig schlicht und schmal mit inschriftlichem Datum 1600. Markt 17, fünfgeschossig, hat an seiner breiten Front zwei Eckerker. Ursprünglich Doppelhaus, Ende 16.Jh. Am reichsten mit Schnitzerei an Schwellen und Füllhölzern zwischen den Balkenköpfen ausgestattet Markt 19, der alte „Rote Hirsch". Ein breites viergeschossiges Bauwerk mit dreigeschossigem Eckerker. Bemerkenswerte Schnitzerei – Flechtwerk an der unteren Schwelle, sich verflechtende Taue an Füllhölzern und oberen Schwellen. Am Steinsockel über dem Kellereingang Wappen mit Inschrift und Jahreszahl 1566.

59. Haus Rotergraben 15 (17.Jahrhundert). Schlichtes, verhältnismäßig spätes Fachwerk. Vielleicht aus älterem Zustand die durchgehenden Pfosten der beiden Untergeschosse ebenso wie der Bogeneingang und der interessante alte Ladenschalter.

60. Michaelskapelle an der Augustenruhe. Erbaut vom Deutschen Orden 1268 auf dem Pilgerfriedhof an der Höhe gegenüber der Elisabethkirche. Schlichter einschiffiger Bau mit 5/8 Schluß. Alter Dachreiter. Innen feingliedriges frühgotisches Rippengewölbe auf glatten Wandkonsolen. Maßwerkfenster nach dem Muster der Elisabethkirche. Niedrige Strebepfeiler nur an den Chorecken.

61. Bettinaturm und Reste der Stadtmauer. In dem Verbindungsstück der Stadtmauer zwischen Kalbstor und Schloßbefestigung gelegen, ist der Bettinaturm der einzige noch in voller Höhe erhaltene Turm der mittelalterlichen Stadtbefestigung. Den Namen

34

erhielt er von Bettina Brentano, die ihn während ihres Aufenthaltes bei ihrem Schwager Savigny im Forsthof mehrfach bestieg und ihn höchst lebendig beschrieb.

62. **Wappen über dem Rathauseingang von Ludwig Juppe.** Ein Werk, das sich in seiner Ausgewogenheit und in der Feinheit der Durchbildung neben dem Besten der Zeit sehen lassen kann. Die heilige Elisabeth mit dem Kirchenmodell in weitem Mantel mit Krone schaut aus einer Kapellenapsis heraus und hält gleichzeitig den auf der Brüstung stehenden Schild mit dem landgräflichen Wappen. In den Zwickeln neben dem Schild je ein Bettler, der rechte ein Brot, der linke (sehr zerstört) eine Schüssel haltend. Meisterhaft wie im unteren Teil des Bildwerks, in die das Apsismotiv wiederholende Nische der Löwe mit dem Stadtwappen hineingesetzt ist! In den Zwickeln darüber die Jahreszahl 1524.

## LITERATUR

### Stadt und Schloß

**Friedrich Küch**: Quellen zur Rechtsgeschichte der Stadt Marburg. I, 1918; II, 1932.
**Karl Knetsch**: Der Forsthof und die Ritterstraße. Marburg 1921.
**Georg Textor**: Die Entwicklung Marburgs aus dem Höhenlinienplan. Marburg 1926.
**Friedrich Küch** und **Bernhard Niemeyer**: Die Bau- und Kunstdenkmäler im Reg.-Bez. Kassel VIII. Kreis Marburg Stadt, 1934 (nur Atlas).
**Walter Kürschner**: Geschichte der Stadt Marburg. Marburg 1934.
**Karl Justi**: Das Marburger Schloß. Marburg 1942.
**Hermann Bauer**: Marburg a. d. Lahn. Führer 1951.
**Karl Rumpf**: Deutsche Volkskunst. Hessen. Marburg 1951.
**Albrecht Kippenberger**: Hauptwerke des Museums im Jubiläumsbau der Universität 1927.
Zahlreiche Aufsätze verschiedener Verfasser in „Hessenkunst", Kalender für Kunst und Denkmalpflege. 1906—31. Ferner in der Geschichtsbeilage der „Oberhessischen Presse": Aus der Vergangenheit unserer Heimat. Hier der Aufsatz von W. Görich: Marburger Straßen- und Siedlungsgeschichte. 1948—51.

### Elisabethkirche und Künstler

**Hamann** und **Wilhelm-Kästner**: Die Elisabethkirche zu Marburg I, 1924; II, 1929.
**Werner Meyer-Barkhausen**: Die Elisabethkirche zu Marburg. 1925.
**Richard Hamann**: Die Elisabethkirche zu Marburg. (Deutsche Bauten; Hopfer) 1938.
**A. Haseloff**: Die Glasgemälde der Elisabethkirche zu Marburg. Berlin 1907.
**Hamann** und **Kohlhaussen**: Der Schrein der hl. Elisabeth. Marburg 1922.
**Johannes Neuber**: Ludwig Juppe. Marburg 1914.

Für mannigfache Anregungen und Mitteilungen ist der Verfasser insbesondere den Herren Hermann Bauer, Dr. Walter Görich, Professor Dr. Albrecht Kippenberger und Karl Rumpf zu Dank verpflichtet, die ihm in den kurzen zur Abfassung des Textes zur Verfügung stehenden Wochen wertvolle Hilfe leisteten.

35

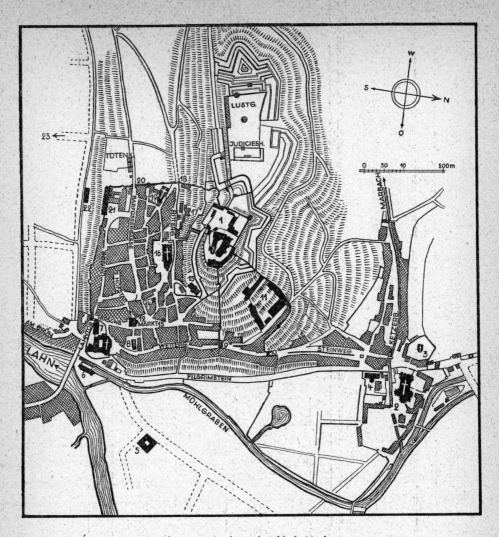

*Plan von Stadt und Schloß Marburg*

Nach dem Stadtplan von 1750 mit Einzeichnung von Universitätsmuseum, Staatsarchiv und Bibliothek, in denen wichtige
Denkmäler und Dokumente der Stadtgeschichte aufbewahrt werden.

1. Schloß  2. Elisabethkirche  3. Michaelskapelle  4. Elisabethhospital  5. Universitätsmuseum  6. Herrenmühle  7. Ehem.
Dominikanerkloster (Universität) 8. Ehem. Kilianskapelle 9. Wehrdaertor 10. Kesseltor 11. Landgräfliches Rentamt 12. Rathaus 13. „Steinernes Haus" am Markt 14. Sogenanntes Hochzeitshaus 15. Landgräfliche Kanzlei (Landgericht) 16. Marienkirche (Luth. Pfarrkirche) 17. Forsthof  18. Kalbstor  19. Ehemaliger Kugelhof mit Kugelkirche (Katholische Pfarrkirche)
20. Barfüßertor  21. Ehem. Franziskanerkloster (Seminargebäude)  22. Bibliothek  23. Staatsarchiv.

Bildernachweis: Karl Rumpf, Marburg 58, 59. Staatl. Bildstelle 12, 18, 19, 24, 27-31, 33, 35-37, 41, 44. Strähle, Schorn-
dorf 4, 5. Alle anderen Aufnahmen wurden eigens für dieses Buch vom Archiv Foto Marburg gemacht.
Es lieferten: Das Papier: Scheufelen, Oberlenningen. Die Druckstöcke: Walter Bohm & Co., Berlin. Den Druck: Dr. C.
Wolf & Sohn, München. Die Textzeichnungen auf S. 20, 21: O. Brinckmann, Marburg.
Erschienen im Deutschen Kunstverlag, GmbH., München Berlin, 1951.

# DIE BILDER

1. Blick auf die Stadt von Süden

2. Stadtansicht von der Lahrseite

3. Gesamtansicht von Osten

5. Schloß von Nordwesten. Luftbild

6. Schloß Südansicht

7. Schloß. Ansicht von Westen

8. Schloß von Nordosten

9. Schloß. Rittersaal

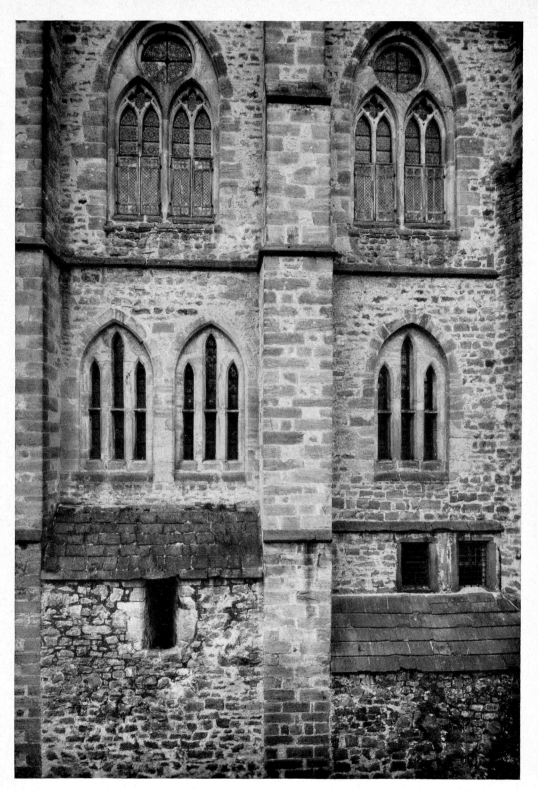

10. Schloß. Saalbau, Westfront

11. Schloß. Eingang zum Wilhelmsbau

12. Schloßkapelle nach Westen

13. Schloßkapelle nach Osten

15. Schloß. Ehemaliger Marstall, Portal

16. Mittelalterliche Stadtbefestigung, Kalbstor

17. Deutschordensgebäude. Komturei und Fruchtspeicher

18. Elisabethkirche. Westansicht

19. Elisabethkirche von Südosten

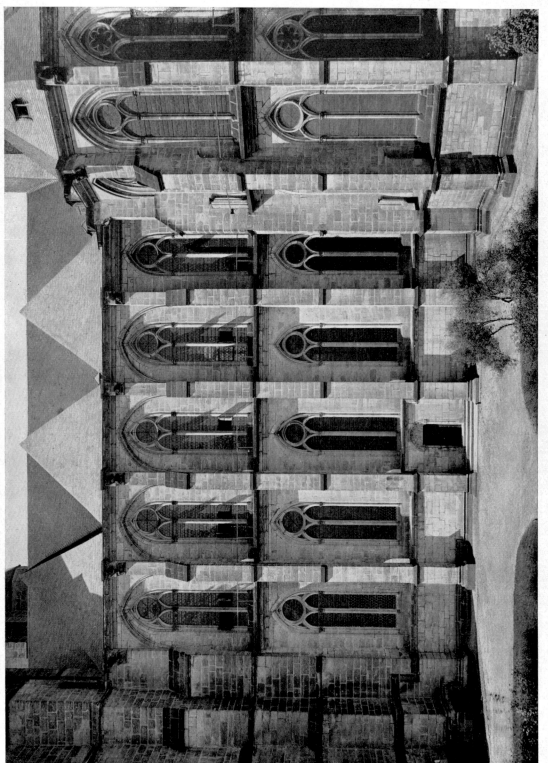

21. Elisabethkirche. Südseite der Halle

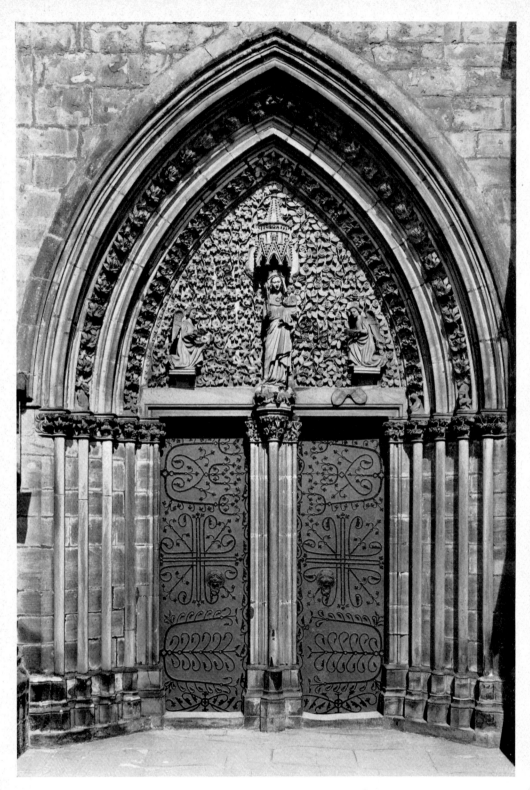

22. Elisabethkirche. Hauptportal

23. Elisabethkirche. Mittelschiff nach Osten

24. Elisabethkirche. Hochaltar, Maria zwischen Engeln

25. Elisabethkirche. Hauptchor

26. Elisabethkirche. Blick aus der Vierung in Ost- und Südchor

27. Elisabethkirche. Lettnerbekrönung
und Durchblick auf die Fenster des Ostchores

28. Elisabethkirche. Spätgotische Elisabethstatue
aus dem Elisabethmausoleum

29. Elisabethkirche. Nordchor,
Elisabethmausoleum

30. Elisabethkirche. Elisabethschrein, Mittelfiguren der Christusseite

31  Elisabethkirche. Elisabethschrein, Schmalseite, Maria mit Kind

32. Elisabethkirche. Elisabethschrein, Dachreliefs

33. Elisabethkirche. Katharinenaltar, Schrein mit heiliger Sippe

34. Elisabethkirche. Ausschnitt aus dem Elisabethfenster des Ostchores

35. Elisabethkirche. Elisabethstatue im Zelebrantenstuhl

46  Elisabethkirch. Denkmal der fragwur

37. Elisabethkirche. Landgrafenchor, Grabfigur Ludwig I.

38. Elisabethkirche. Landgrafenchor, Grabfigur Heinrich I.

39. Elisabethkirche. Blick in die Halle von Südosten

40. Steile Gasse der Südstadt mit Blick auf Marienkirche und Schloß

41. Marienkirche von Osten

42. Turm der Marienkirche von Westen

43. Marienkirche. Halle nach Westen

44. Marienkirchplatz. Kerner

45. Marienkirchplatz. Treppenausgang von der Unterstadt

46. Chor der Universitätskirche, ehemalige Dominikanerkirche

47. Chor der katholischen Pfarrkirche, ehemalige Kirche der Kugelherren

48. Hirschberg mit Rückseite des Rathauses

49. Rathaus. Marktansicht

50. Rathaus. Mittelgiebel

51. Haus Zeisse, gotisches Steinhaus am Markt

52. Landgericht, ehemalige landgräfliche Kanzlei

53. Haus Nicolaigasse 3, sogenanntes Hochzeitshaus

54. Universität. Aula und Kirche

55. Ritterstraße

56. Alte Fachwerkhäuser an der Reitgasse

57. Fachwerkhäuser des 16. Jahrhunderts am Obermarkt

58. Eckerker des 16. Jahrhunderts an den Häusern Markt 17 und 19

59. Haus Rotergraben 15, aus dem 17. Jahrhundert

60. Michaelskapelle an der Augustenruhe

61. Bettinaturm und Reste der Stadtmauer

62. Wappen über dem Rathauseingang von Ludwig Juppe